D0677049

La Révolte à deux sous

Bernard Clavel

La Révolte à deux sous

ROMAN

Albin Michel

IL A ÉTÉ TIRÉ DE CET OUVRAGE
TRENTE-CINQ EXEMPLAIRES SUR VÉLIN CUVE PUR FIL DE RIVES
DONT VINGT-CINQ NUMÉROTÉS DE 1 À 25
ET DIX, HORS COMMERCE,
NUMÉROTÉS DE I À X

22, rue Huyghens, 75014 Paris

ISBN 2-226-05739-0 (volume broché)
ISBN 2-226-05836-2 (volume luxe)

A la mémoire de Joseph Palenicek en témoignage d'admiration pour l'homme et pour le musicien, en toute fraternité.

B. C.

« ... les têtes et les âmes s'inclinent devant les commandements supérieurs de la Religion et de l'Argent. »

Jean Reverzy

PROLOGUE

Au plein midi des journées brûlantes, la cité des Soies était un amoncellement de noir et de blanc.

Univers sans arbres, entassement de pierres : la colline du Labeur attirait tout de suite le regard. Sur son flanc le plus exposé au soleil s'empilaient les hautes demeures des tisseurs. Les stores de couleurs claires des larges fenêtres étaient baissés.

Monde aveugle.

Les angles de lumière et d'ombres des façades s'imbriquaient les uns dans les autres. Leurs reflets vibrants déchiraient les remous du fleuve. Sous l'averse éblouissante, même les tuiles romaines recouvrant les toitures presque plates, déjà méridionales, se décoloraient. La clarté était telle qu'elle guérissait la lèpre des murs qui reparaîtrait avec le soir, lorsque les rayons frisants viendraient souligner chaque ride, chaque trace d'humidité, toutes les craquelures et les griffures du temps.

Partant du pied de cette colline, il fallait traverser le cœur doré de la ville, sa partie riche, pour découvrir les premiers arbres : platanes, chênes, mûriers, ormes et tilleuls énormes du parc fermé de grilles qui entourait le rocher où s'élevait la demeure princière.

A pareille heure, tout semblait mort si l'on exceptait la rumeur des métiers à tisser qui ruisselait des hauteurs. Elle était à tel point continue et monotone qu'on l'oubliait assez vite. Elle s'étalait sur la cité comme une eau épaisse.

Quelques livreurs, des domestiques, des cochers et des gardes suisses somnolents étaient seuls à se déplacer le long des avenues parallèles au fleuve ou dans les rues étroites qui partaient de la rive droite pour ouvrir des tranchées d'ombre en direction de l'ouest.

Lorsqu'elles avaient traversé le centre dans la plus parfaite rectitude horizontale, ces voies se mettaient à serpenter pour s'élever lentement au flanc d'une pente regardant le levant, plus douce et moins construite que la colline du Labeur.

Les ruelles montaient ainsi vers le ciel et ce qui l'habite, en prêtant l'oreille au murmure des prières et aux envolées des cantiques qui débordaient jour et nuit les hautes murailles emprisonnant les cours ombragées des couvents.

Les sentes devenaient plus étroites à mesure qu'elles prenaient de la hauteur. Sans doute les chemins du ciel sont-ils de moins en moins encombrés d'étage en étage. Des placettes marquaient des haltes où des porches s'ouvraient, invitant à la fraîcheur embaumée des chapelles, tandis que demeuraient closes les grilles et les lourdes portes cloutées des monastères.

Ce coteau exclusivement voué à la contrition, aux dévotions et à la charité était, avec le parc princier, le seul lieu de la ville où il y eût des arbres. Mais ceux qui n'avaient pas accès aux demeures des religieux et des moines n'en pouvaient contempler que la cime débordant les hauts murs pour la plupart hérissés de tessons de bouteille.

Depuis les placettes, on dominait à peu près toute la Principauté.

Vers le levant, la vue s'étendait bien au-delà des remparts inachevés, sur des espaces marécageux où, en dehors des périodes de grande sécheresse, miroitait l'acier des lônes. C'était la plaine des Brotteaux que prolongeaient des plantations de mûriers.

Vue depuis cette colline, la lame du fleuve qui séparait le centre du quartier de la prison n'était échancrée que par la masse hérissée du château.

Surprenante construction que cette demeure familiale des princes !

Du très ancien donjon central, jusqu'à la dernière salle d'apparat à peine terminée dont les hautes fenêtres surplombaient les eaux noueuses du fleuve, vingt générations au moins avaient voulu laisser leur empreinte. Vingt styles différents se confondaient en voulant se dominer l'un l'autre.

Les plus orgueilleux avaient fait surélever des tours, les plus belliqueux ériger d'épaisses murailles flanquées de bastions ; aux plus délicats on devait des appartements ornés, décorés, regorgeant de meubles précieux; les plus modestes n'avaient ajouté qu'une échauguette ou une pauvre bretèche que tenaient dans leur ombre les parties massives aux créneaux garnis de canons à gueule noire.

Les historiens affirment que, bien avant Gontran Ier se dressait une forteresse romaine dont les pierres auraient servi à édifier la base du donjon. Ce qui permettait aux princes de se croire les descendants directs de César.

Le problème capital toujours posé aux architectes de la cour était la dimension du rocher qui, largement recouvert, n'autorisait plus aucune extension sans piliers de soutènement. Ces innombrables colonnes cylindriques ou à pans coupés donnaient à l'ensemble crénelé et surmonté de flèches l'aspect d'un monstrueux insecte déformé par on ne sait quelle arthrite, posant quelques pattes dans l'eau et hésitant à s'y engager davantage.

Deux siècles plus tôt, un architecte s'était permis de suggérer au prince d'abandonner cette bâtisse au seul souvenir de ses ancêtres. On ferait d'elle un musée. Le château des temps futurs se dresserait en haut de la colline du Labeur. Les habitations des tisserands seraient rasées. La population laborieuse irait s'installer hors les murs, laissant aux monarques la position dominante.

Sans prendre la peine de consulter ses ministres, le prince avait fait pendre cet olibrius dérangé au sommet du donjon. Les vents avaient balancé longtemps sa dépouille qui continuait d'habiter les mémoires. Son souvenir ne devait nullement décourager les jeunes gens attirés par l'art de bâtir. Il les avait simplement poussés à étudier de près la science du pilastre, de l'encorbellement, de la jambe de force et du pied-droit. Dans les manuels publiés après cet incident, tout un chapitre rappelait qu'il ne saurait être question de construire en faisant table rase des traditions. L'auteur ajoutait qu'à un prince régnant on ne saurait sans l'outrager proposer d'aller vivre en un lieu depuis des éternités souillé par la plèbe.

On peut chasser la vermine, rien jamais ne saurait effacer son souvenir.

Ainsi, du donjon en permanence couronné d'un vol de choucas, jusqu'à la semelle des piliers, pouvait se lire l'histoire des princes.

Aux pieds du château (et l'on doit ici prendre l'expression à la lettre) commençait la ville riche. Une grande avenue orientée nord-sud la fendait en deux. Pavée de larges dalles de granit gris, elle partait de l'entrée principale du parc des Princes pour filer jusqu'à la Grand-Place, presque à la base de la colline du Labeur (que l'on nommait également colline des Douleurs).

Sur la rive gauche du fleuve, là où les remparts jamais terminés s'ouvraient sur les plaines de l'est, s'élevait la prison. Presque noire, carrée, hideuse, elle émergeait d'un empilement de masures croulantes dont les plus hautes semblaient ne tenir debout que soutenues par cette masse énorme à laquelle elles s'adossaient.

Quels que fussent le temps, l'heure du jour ou de la nuit, la prison restait sombre. Écrasante comme une menace d'orage.

Telle était la cité des Soies avant les événements qui vont nous être contés.

PREMIÈRE PARTIE

Pataro

1

PATARO s'engage sur le pont de pierre qui traverse le fleuve en douze enjambées. Douze arches en plein cintre et de belle maçonnerie lancées sur des piles dont le granit a été taillé pour faire front aux fureurs des eaux. En cet été torride, la moitié posent à sec leurs enrochements gris de limon poussiéreux et d'algues mortes sur de larges bases de galets. Les eaux maigres ont ramassé toute leur force dans un chenal à peine large de trois arches qui écume à l'extérieur de la courbe, pas loin de la rive gauche. Le fleuve pousse ses remous contre les pierres du quai, entre les troncs d'arbres oubliés par la dernière crue, au flanc des barges dont les équipages doivent chaque jour allonger l'amarrage.

Quand Pataro traverse, c'est encore l'heure fraîche. L'absence de vent laisse une brume rose et mauve s'effilocher le long des berges, accrochée çà et là aux buissons maigres qui s'étiolent. Le ciel farineux annonce déjà des heures accablantes.

A chaque extrémité du pont en dos d'âne se dresse une porte massive flanquée de lourdes tours jumelées. Là se tiennent les gardes et le personnel préposé au péage. Plus récentes que le pont, les tours sont moins sombres. Quelques vieux se souviennent encore de les avoir vu édifier.

— Nos pères avaient payé pour construire le pont, nous avons payé pour monter les tours, à présent il faut encore payer pour traverser le fleuve.

Ils grognent, mais ils allongent leur argent.

Pataro, lui, ne donne rien. Tirant derrière lui une caisse percée de trous et montée sur quatre petites roues de bois, il est sans doute le seul si l'on excepte le prince, la cour, les soldats, les membres du Parlement et le clergé, le seul à pouvoir passer sans acquitter la moindre taxe.

Mais sans doute les hommes sont-ils encore moins nombreux qui franchissent le fleuve sans pouvoir le regarder.

Dès qu'il a atteint la poterne, Pataro ne voit plus que les gros pavés ronds à tête de chat arracher des étincelles aux fers des chevaux qui le frôlent. Il va sans redouter ni ces énormes sabots ni les bandages de métal des roues de chars qui grincent et vibrent dans un vacarme d'enfer, d'autant plus terrible pour lui que ses oreilles se trouvent à hauteur de celles d'un gros chien. S'il se dévisse la tête sur le côté, il peut lorgner le haut de ce parapet lustré par le flanc des passants qui s'y appuient quand la bousculade les y contraint. Les remous qu'ici l'on nomme des meuilles et qui tordent ensemble les reflets des maisons, du ciel, des bateaux, des pêcheurs, des lavandières et des oiseaux blancs, Pataro n'arrive à les apercevoir que des rives du fleuve. Il est vrai qu'il n'a nul besoin de lire le temps du lendemain à la surface des eaux. Il est le premier de la ville à le connaître.

L'annonce se fait dans ses membres déformés et dans tout son corps squelettique.

Pataro ne ressemble vraiment à aucun animal connu. Sans âge ni forme, il est le chef-d'œuvre de Schlakasse, le plus grand modeleur d'enfants que la ville ait tenu en ses mains.

Alors qu'aujourd'hui on ne peut plus guère que couper un pied ou une main, crever les yeux ou décrocher la mâchoire, cet artiste d'autrefois savait admirablement tordre, nouer, déplacer, briser et souder les os et les articulations des nouveau-nés. Il parvenait à des résultats qui témoignaient d'une imagination sans bornes.

Démantibulé et recollé, Pataro se traîne sur les genoux, les coudes et une hanche. Il ne lui manque pas une phalange, pas un millimètre d'oreille, il n'est ni sourd ni aveugle, mais, pour progresser, il doit lever très haut ses bras et ses jambes en forme d'équerre et les lancer en avant sans jamais pouvoir ni les plier ni les déplier. Vu d'une certaine distance, il fait penser à un chevalet de scieur poussé par la colère d'un vent sorcier. Partout où des os ont été brisés et soudés, se sont formées d'énormes protubérances pareilles à la loupe des grands ormeaux. Ce sont ces excroissances calleuses qui permettent à Pataro d'annoncer le temps sans jamais se tromper.

La première chose que sa mère lui ait enseignée, c'est à tirer parti de son existence menée au ras du sol. Quand on l'interroge, il tourne la tête sur le côté pour regarder en l'air et scruter son client. Sa réponse est fonction de ce qu'on lui donne. Sa réputation est telle qu'il peut se permettre d'annoncer le soleil à un pingre pour le plaisir de savoir que l'avare se fera rincer l'échine.

Pataro ne voit rien comme les gens qui se déplacent sur leurs pieds, se tiennent droit, peuvent s'asseoir sur un siège et s'accouder à une table. Il n'a jamais regretté de ne point couler ses journées devant un fourneau de cuisine, un métier à tisser, un four de boulanger ou un quelconque établi. Il a son travail. Il a sa vie. Il ne changerait pas sa place contre celle du prince. Lorsqu'un étranger s'avise de le prendre en pitié, Pataro se met à grincer de sa voix qui semble toujours briser des écuelles :

— Venez traverser la rue et nous verrons pour qui s'arrêtent les voitures !

Avec son rire énorme dont on se demande comment il peut prendre telle ampleur dans un corps si filiforme, il lui arrive de crier à l'adresse d'un riche passant :

— Aurais-tu perdu trois sous pour te trimballer avec une pareille face de carême ?

Pataro progresse à la vitesse d'un solide marcheur.

Le pont est en dos d'âne mais ni la montée ni la descente n'ont d'influence sur son allure. Au péage, un garde suisse nouvellement recruté a le culot de lui demander ce qu'il traîne dans sa caisse.

— Des bêtes moins bêtes que toi !

Les autres gardes s'esclaffent.

Une fois sur la rive droite, Pataro traverse le quai. Un cocher qui voudrait passer avant lui fait claquer son fouet au ras de son crâne chauve plus luisant que les pavés. D'une voix qui semble rouler de la futaille vide au fond d'une caverne, Pataro gueule :

— Si en enfer expédie Pataro, le suivra bientôt !

L'homme qui a une splendide trogne de poivrot lui adresse un sourire et un salut amical.

Toute la Principauté connaît Pataro. Personne ne le regarde avec étonnement, mais certains éprouvent une sorte de crainte, ce sentiment trouble qu'inspirent les créatures hors du commun. Bien des gens se détournent de leur chemin pour éviter une rencontre. Il arrive que des femmes à la veille d'accoucher s'enfuient très vite, aiguillonnées par son rire qu'il sait faire grincer comme grincent dans les dévers les roulettes de sa caisse.

Hiver comme été, pluie, neige, gel ou canicule, il va le crâne, les mains et les pieds nus, vêtu de son éternelle camisole en toile de sac, sans jambes ni manches pour éviter l'usure au frottement du sol. A peu près où devrait se trouver la taille, le tissu lustré de crasse est serré par une large lanière de cuir usé à laquelle est attachée la corde qui lui permet de tirer sa caisse.

Cette remorque trépide sur les pavés inégaux et s'incline lorsqu'une roue suit la rigole centrale. Elle est toute pleine de grognements, de chocs sourds et de petits cris aigus.

Pataro atteint assez vite l'entrelacs de rues étroites du quartier des marchands. Il connaît le moindre mouvement du sol, les rigoles, les flaques puantes, les tas d'immondices à éviter, les creux et les bosses où sa caisse risque de sauter trop haut, imprimant à la corde une tension brutale qui lui scie la taille. Il sait qui le salue à la voix et répond sans lever la tête en appelant chacun par son nom. Aux deux tiers de la rue des Gindres se trouve une boulangerie. Avant de l'atteindre, Pataro siffle d'une manière très particulière. Il est à peine devant l'étal qu'un mitron sort avec un sac de toile grise qu'il accroche à un clou à l'avant de la caisse.

— Merci pour mes enfants !

La même scène se déroule devant une boucherie mais avec un sac brun.

Arrivé place de l'Hôtel-de-Ville, Pataro s'engage sur le sol de larges dalles polies et tire droit vers le centre où se dresse la fontaine. Rien ne ruisselle plus, seul un suintement que l'on devine à peine humidifie les cascades de mousses accrochées au tufeau.

L'infirme s'arrête à l'ouest de la fontaine pour se trouver dans l'ombre quand le soleil débordera les toits. Il dénoue sa corde, va décrocher les deux sacs puis ouvre une porte ménagée à l'avant de sa caisse. Aussitôt, des oiseaux s'envolent tandis que bondissent deux chats et cinq rats énormes. Les rats passent entre les pattes des félins. Le couple de pigeons et les sept moineaux se sont perchés au sommet de la fontaine pour boire entre les brins de mousse. Leur arrivée ne semble pas avoir dérangé d'autres moineaux, des pigeons et quelques corbeaux déjà installés.

A peine les bêtes dehors que, de la caisse, sort plus lentement une jambe maigre, puis une autre. Un corps d'enfant se déplie et s'étire : Ratanne.

Elle n'avait que quelques jours quand des rats lui ont dévoré le visage. L'oreille droite a disparu, une partie du nez, la pommette gauche où l'os est à nu. Quand Pataro l'a vue, il a déclaré :

— Son pain est assuré. C'est de la ratanne ou je m'y connais pas.

Dès que Ratanne est assise par terre, le dos contre la margelle de la fontaine, Pataro siffle. Aussitôt, pigeons, moineaux, chats et rats se rassemblent. Les volatiles se posent sur les épaules et la tête de leur maître et de l'enfant, les chats se blottissent sur les jambes croisées de la petite tandis que les rats s'accrochent à sa camisole, grimpent et disputent aux oiseaux l'étroit espace de ses épaules.

— Tranquille! dit une voix douce qui contraste avec le visage repoussant.

Pataro a ouvert le sac que lui a remis le boucher. Il en sort des déchets de viande et des os qu'il éparpille sur les dalles. Chats et rats se précipitent pour manger en se chamaillant. Deux moineaux y viennent aussi tandis que leur maître sort de l'autre sac des croûtons de pain très secs. Cognant de sa main déformée qui semble aussi dure qu'un maillet de tonnelier, il écrase le pain. Moineaux et pigeons arrivent et se mettent à picorer. D'autres volatiles quittent le sommet de la fontaine et les toits du voisinage pour venir manger. L'estropié les chasse en gesticulant :

— Foutez le camp, tas de feignants ! Mendiants ! Vermines !

Quelques passants s'arrêtent. Une femme donne de la viande aux bêtes, d'autres laissent tomber une pièce de bronze dans l'écuelle de fer que Ratanne a posée devant elle. Chaque fois, Pataro et l'enfant lancent avec un ensemble parfait :

— Merci bonnes gens !

Lui sur le ton le plus grave de sa voix qui peut trouver tant de variantes, elle, avec la limpidité d'une source.

Lorsqu'il a replié ses sacs, Pataro les range soigneusement dans la caisse qu'il referme, puis il se place à la droite de l'enfant. La vieille chatte grise qui a terminé son repas vient sur lui. Dès qu'il n'y a plus de miettes, les moineaux et les pigeons se perchent sur son crâne, ses épaules et ses membres comme sur une vieille souche aux tronçons de branches et de racines usés par les eaux.

Les premiers passants sont des habitués qui ne s'attardent pas à un spectacle connu. Puis viennent ceux des autres quartiers et des campagnes d'alentour. Et aussi des étrangers. Les voyageurs dont c'est le premier séjour dans la Principauté ont entendu parler de Pataro par des amis ou par le personnel des auberges, les serveuses de cabarets, cochers de fiacre ou postillons de diligence. Tous savent que l'infirme connaît l'histoire de la ville mieux que personne.

En tout cas, il la raconte avec davantage de verve

que le plus érudit des professeurs. Ses récits s'allongent ou se raccourcissent, s'enjolivent de fioritures ou s'appauvrissent selon son public.

Son angle de vue doit être fort révélateur, car quelques instants lui suffisent pour découvrir si l'homme est un savant, un docteur, un noble, un riche marchand, un juif ou un chrétien, un généreux ou un rapiat. S'il conserve le moindre doute, deux ou trois questions adroites le renseignent. Ceux qui observent son manège depuis des années sont arrivés à la conviction qu'à scruter les êtres de bas en haut et à les renifler à hauteur de genoux, le charmeur de rats a fini par développer un sens pareil à celui des chiens que leur instinct ne trompe jamais.

Pour raconter, Pataro change de position. Son dos se colle contre les dalles de la margelle, sa cuisse et son avant-bras droits se plaquent au sol. Ainsi calé sur la double équerre de son genou et de son coude, il lui est moins pénible de lever son visage maigre vers ses auditeurs. Même les gens que la vue de son corps et de ses membres effraie demeurent là, prisonniers de son regard limpide et de cette voix qui peut aller longtemps comme huilée de miel pour s'enfler soudain, bondir et sombrer dans des profondeurs habitées d'échos sinistres. Ses auditeurs ne parviennent généralement à se libérer de son emprise que pour un bref coup d'œil au visage rongé de Ratanne qui, figée à côté de lui, boit ses paroles comme si elle les entendait pour la première fois.

Pataro évoque les temps de la Préhistoire, les

nautes qui ont fondé la ville, les Romains qui l'ont métamorphosée. Il parle des princes régnant là depuis des siècles. Il sent parfaitement si ceux qui l'écoutent sont favorables aux princes et, là encore, son récit peut varier.

Son morceau de bravoure, c'est la construction, voici trois cents ans, de la fontaine. L'énorme masse de pierre recouverte de mousse lui permet d'être à l'ombre ou au soleil, à l'abri des vents selon la saison. Il suffit qu'il se déplace à mesure que défile le temps. Ainsi peut-il annoncer l'heure. Si, par exemple, au lever du jour il fait face au théâtre, à midi il regarde l'hôtel de ville, quatre heures plus tard il se tiendra face à l'immense avenue fermée en son extrémité par le palais des princes ; puis, le soir venu, il pense à Dieu en contemplant le déclin du soleil derrière la majestueuse basilique couronnant la colline des Prières.

Ce matin d'août, Pataro n'est pas sur la place depuis plus d'une heure que la chaleur est déjà suffocante. On en voit les ondes monter des pierres et troubler la vision. Les façades semblent se déformer.

— De l'eau !

Ratanne se lève, prend une sorte de large plat creux en terre épaisse vernissée de brun et va puiser par-dessus la margelle. Elle revient poser le récipient devant Pataro qui crie :

— Au bain !

Déjà les chats sont en train de boire quand les

rats et les moineaux arrivent. Les premiers escaladent les bords, les autres piquent en plein vol, le battement de leurs ailes éclabousse. Ils se hérissent et soulèvent leur duvet à coups de bec. Plus lents, les pigeons viennent se percher sur le bord. Ceux-là se contentent de se désaltérer.

— Allez, c'est fini !

Les animaux s'éloignent sauf le plus gros des rats qui continue de barboter.

— Alors, tu as compris ?

Comme le rat ne semble pas décidé à sortir, la voix du dresseur se fait plus dure :

— Tu veux pas obéir ? En prison !

Le rat ventru s'en va lentement et grimpe dans la caisse dont la porte est restée ouverte. Tout le monde s'esclaffe et les pièces tombent dans l'écuelle.

Il en va chaque jour de la même manière.

Un étranger s'est approché de la caisse à roulettes et l'examine avec un grand intérêt.

— C'est moi qui l'ai fabriquée, dit Pataro.

— Très bien, fait l'homme, je suis maître charpentier, je m'y connais.

Puis, montrant en haut une petite porte latérale restée close, il s'informe :

— Et là, que mets-tu ?

— Cache secrète. C'est pour les lettres de mes amoureuses.

Les gens échangent des regards apitoyés et laissent tomber d'autres pièces de bronze dans la sébile où le charpentier pose un écu d'argent.

La matinée coule. A midi, lorsque les rues se vident et que la place devient un désert grillé de soleil, Pataro et Ratanne poussent la caisse à l'ombre de la fontaine. De la petite case du haut, l'enfant sort un sac de toile d'où elle tire du pain et un poisson cuit qu'ils se partagent. Ils mangent sans échanger un mot.

Ils ont presque terminé quand s'en vient une vieille femme toute ronde, qui trottine en se déhanchant curieusement sur des jambes courtes aux chevilles enflées. Elle tend à Pataro une enveloppe cachetée de rouge et deux pièces d'argent.

— Crois-tu qu'il souffre de la chaleur, là-bas ?

— T'inquiète pas pour lui. Il a sûrement moins chaud que nous.

La vieille s'éloigne lentement dans la clarté aveuglante et disparaît bientôt à l'entrée de la rue Noire.

Une moiteur immobile, assoiffante comme de la poussière de carrière, écrase la ville.

Depuis que la rumeur des rues s'est apaisée, on entend un grondement sourd qui déferle des pentes de la colline du Labeur. Derrière le théâtre, les maisons aux façades roses et ocre, aux larges baies closes de rideaux blancs semblent tellement serrées, coincées, qu'elles donnent à ce quartier de la ville un aspect d'éboulement. On sent qu'elles se sont amoncelées de la sorte pour chercher la lumière et qu'en ce jour torride elles exhalent leur plainte comme un regret d'être là.

Muraille sans ombre, cet assemblage trop dense

ferme toute la face nord de la place. De chaque côté du théâtre et entre les demeures bourgeoises qui l'encadrent, s'ouvrent des ruelles étroites. Il semble que par ces meurtrières, seuls puissent se faufiler quelques insectes soucieux de pénétrer sous la colline même, là où dorment des caves humides et fraîches. De temps en temps, il en sort un portefaix, l'échine courbée sous une énorme balle de soieries. Par ces journées sans menace de pluie, les tissus ne sont pas enveloppés et le soleil fait éclater les couleurs vives et les fils d'or. Les portefaix ont tous la même démarche à la fois souple et pénible, le même dos voûté, les mêmes mains énormes et crochues, habituées à retenir la charge et dont les doigts semblent ne plus pouvoir s'allonger. Tous vêtus d'une blouse grise très courte et coiffés d'une sorte de petite toque de même étoffe.

L'un d'eux s'avance en direction du repose-charge en fer forgé qui se trouve à quelques pas de la fontaine. De petite taille, il doit donner un coup de reins et tendre ses jambes pour basculer son fardeau sur la grille placée à hauteur d'épaules d'un homme assez grand. Il enlève sa coiffure et s'éponge le front avec sa large patte velue qu'il secoue pour l'égoutter.

S'approchant de Pataro, il lance un rapide regard circulaire un peu inquiet, et sort de sa poche une feuille de papier pliée en quatre.

— C'est pour Gonon, l'imprimeur. Tu lui portes ça sans te faire voir.

— Pas sorcier, les traboules. Le vieux Gonon

est tout près du quai, je pars par l'autre côté, comme si j' voulais monter chez les sœurs.

— Comme tu veux, mais méfie-toi.

L'homme laisse tomber une pièce d'argent dans la sébile, se baisse pour caresser un chat, en profite pour glisser le papier contre la poitrine osseuse de l'infirme. S'étant redressé, il va reprendre sa charge et s'éloigne vers le quartier du fleuve où sont établis les marchands.

2

LA place n'a pas encore retrouvé sa pleine activité. De rares passants la traversent, d'autres rasent les bâtiments pour profiter de l'ombre. Il y a un peu plus de monde sous les arcades du théâtre où sont installées quelques échoppes.

Devant l'hôtel de ville, les fiacres stationnent. Les chevaux somnolent sans cesser de balancer la queue et de remuer leurs colliers à clochettes et à grelots pour tenter de chasser les mouches. Les cochers assis par terre, le dos au mur pour profiter de la fraîcheur des pierres, ont à peine la force de tenir quelques propos fatigués. Certains se sont allongés et dorment, le bras passé sur le manche de leur fouet qu'ils semblent étreindre avec tendresse.

Pataro attend quelques minutes après le départ du portefaix puis, sortant le papier, il se tourne vers la margelle pour le déplier dans l'ombre de son corps recroquevillé. Son œil bleu s'illumine à la lecture.

— Tu restes là avec les bêtes, Ratanne. Je vais revenir. Si on te demande où j' suis, tu dis que j'ai dû retourner chez nous. J'en ai pas pour longtemps.

La petite hoche la tête. Pataro s'éloigne. La grosse chatte le suit. Puis deux moineaux. En vain Ratanne les appelle. Leur maître doit s'arrêter pour crier :

— Au travail ! Je reviens !

Pour ne pas avoir l'air d'obtempérer aussi vite que les oiseaux, Grisette s'assied sur place et se lèche la patte en observant du coin de l'œil le départ de son maître. C'est seulement lorsqu'il disparaît dans l'ombre de la rue des Carmes qu'elle décide de rejoindre lentement Ratanne qui se met à la caresser.

Pataro ne va guère plus vite que lorsqu'il a sa caisse à traîner. Lançant alternativement les équerres de ses bras et celles de ses jambes, il progresse comme une roue à quatre rayons qui aurait perdu son cercle. Personne ne cherche à lui donner une pièce. Quand il marche sans ses bêtes, Pataro n'a pas de sébile. Il suit l'étroite rue des Carmes où s'ouvrent des boutiques de drapiers dans le fond desquelles on devine parfois un lumignon. Les immeubles très hauts dont les balcons avancent les uns vers les autres entretiennent ici une pénombre constante. Des relents de cave ruissellent des porches et des soupiraux.

Pataro sait où il se trouve sans que son regard ait à quitter les pavés. La cave du laitier n'a pas la même haleine que celle de l'épicier ou l'atelier du tapissier.

Pataro va à peu près à mi-distance entre la place de l'Hôtel-de-Ville et le pied de la colline des Prières. Là, il tourne à gauche et entre dans un étroit couloir au sol en V. Dans la rigole du milieu, coule une eau puante qui charrie des ordures. Pataro en remonte le cours jusqu'à un renflement où le jour arrive à peine, venant de très haut comme au fond d'une crevasse. Il gravit trois marches de granit luisant et froid puis, sur un étroit palier, prend à droite un autre passage, guère plus large, qui conduit à la rue des Changeurs.

Les échoppes de changeurs et les banques ouvrent leurs volets.

Collé contre un mur, Pataro reste un moment à épier alentour avant de pénétrer dans une traboule qui débouche sur une large cour intérieure moins crasseuse que les autres. Personne. De sa main dure comme bois, l'infirme va cogner à une porte cloutée qui s'ouvre presque aussitôt. Le regard d'une vieille femme maigre au visage chiffonné tombe sur lui.

— Ah, c'est toi ! Que veux-tu ?

— Voir M. le juge.

— Monsieur n'est pas là !

— J'ai un message important.

La femme hésite quelques instants puis fait entrer l'infirme dans une cuisine toute pleine de la chaleur d'un feu et des odeurs mêlées de frichti et de vaisselle.

— Attends là, je vais voir.

Elle s'éloigne. Dès qu'elle a disparu dans le couloir, Pataro s'accroche d'une main au rebord de la table, et, poussant sur ses jambes, parvient à hisser ses yeux au niveau du plateau. Des prunes sont là que la vieille devait être en train de dénoyauter. Un chaudron de cuivre se trouve un peu plus loin. Dans un deuxième effort, l'infirme réussit à se tordre. Sa pince gauche va accrocher des fruits qu'il tire et fait tomber très adroitement dans la large poche ventrale de son vêtement.

Des pas sonnent dans le couloir dallé. Un homme dans la cinquantaine paraît, large et épais, front dégagé devant une chevelure poivre et sel ondulée, vêtement d'intérieur en soie bleu nuit damassée à large ceinture brodée.

— Alors ?

Pataro tire le papier que sa patte lève à hauteur du ventre de l'homme. Une main potelée et très propre s'en saisit.

— Faut me le rendre, monsieur le juge !

Le juge Combras chausse un lorgnon qui pend à une chaîne d'or et lit très vite. Son front se fronce, puis son visage se détend.

— A qui dois-tu le porter ?

— Gonon, l'imprimeur.

— Très bien, très bien. Tu le portes à présent ?

— Oui, monsieur le juge.

— Qu'on ne te repère pas quand tu sortiras d'ici.

— Ça ne risque rien.

Le visage large aux pommettes couperosées exprime une grande félicité. Le juge est comme s'il venait de jouer un bon tour à un ami. Sa main plonge dans la poche de sa veste et en tire quatre pièces d'argent qu'il montre sur sa paume ouverte.

— Est-ce que ça va ?

Pataro fait oui de la tête.

— Tu en auras une en or quand je saurai qui vient chercher les affiches.

— Et si c'est moi qui les livre ?

L'œil du gros homme pétille soudain.

— Sais-tu à qui ?

— Pas encore.

Déjà Pataro ébauche un mouvement vers la porte que le juge s'empresse d'ouvrir et de refermer derrière lui.

De traboules en cours intérieures, de couloirs en ruelles, alors qu'il a quitté la place de l'Hôtel-de-Ville par sa face ouest, Pataro atteint bientôt la rue des Lieurs-de-Livres qui pue la colle d'os. Il la suit jusqu'à un étroit passage voûté où il s'enfile après avoir scruté tout autour.

Le passage bas et sombre fait un coude et aboutit à une cour pas plus large qu'un tablier de sapeur. Au fond est ouverte une double porte encadrée de deux fenêtres basses. Trois quinquets éclairent un long marbre. Deux hommes travaillent, penchés sur des galées où ils alignent des lettres de bois. Celui qui tourne le dos à l'entrée pivote sur son tabouret.

— Tiens, Pataro !

Petit maigre dans la soixantaine, visage encadré d'une barbiche taillée court, l'œil vif. Il se laisse glisser de son haut siège. Sans attendre, Pataro lui tend le papier plié. L'homme s'approche de la cour pour lire à la lumière du jour.

— Ah, ce n'est pas bon signe.

— Ça risque de barder, approuve l'infirme.

— Qui viendra les chercher ?

— C'est moi qui les porterai.

— Chez qui ?

— Je le saurai ce soir.

— Tu es certain que personne ne t'a suivi ?

Le crâne luisant va de gauche à droite trois fois.

Gonon va chercher une pièce d'argent dans le tiroir d'une petite console toute noire. Mais l'infirme proteste :

— Ils m'ont payé.

— Ça ne fait rien, c'est un petit cadeau de l'imprimeur.

Le ton baisse et la voix se fait plus sourde :

— Tu sais ce que nous risquons tous, si on était pris !

Sa main se porte à son cou tandis que l'estropié réplique :

— Pas moi... pas moi, maître Gonon, le bourreau ne saurait pas par quel bout me pendre.

Et Pataro s'en va en égrenant derrière lui quelques anneaux d'un rire grinçant qui donne froid dans le dos.

3

PATARO regagne son lieu de travail par la Grande Avenue. Il s'arrête un moment à l'ombre d'une porte cochère pour contempler le château et la verdure reposante du parc. Les suisses qui s'y trouvent en faction depuis des siècles sous leurs casques de fer et leurs pèlerines écarlates sont mieux que ceux dont on voit étinceler les hallebardes en plein ciel, derrière les créneaux du donjon.

Après quelques minutes de repos, l'estropié reprend sa marche. Les rues se sont animées. Chacune déverse dans l'avenue son petit flot de vie. Le soleil a tourné, il descend en direction de la basilique. Déjà l'ombre habille de violet la colline des Prières. Une poussière d'or monte des bas quartiers. La lumière aborde de flanc la colline du Labeur. Des ombres épaisses comme de l'encre grasse se creusent entre les façades.

Dès que Pataro aborde à la place, les moineaux et les pigeons quittent Ratanne pour venir se poser sur lui. Quand il atteint la fontaine, il a l'air d'un étrange perchoir à oiseaux. Des rats grimpent après son vêtement, les chats se frottent contre lui en miaulant. Les badauds ont vite fait de former un cercle d'où les pièces tombent.

— Alors, petite ?

— Quatre lettres dans la caisse. Et ça pour toi.

Elle lui glisse un billet qu'il lit puis met en boule avant de le porter à sa bouche. Il le mâche et l'avale.

Ayant fait entrer les bêtes dans la caisse, ils reprennent la direction du pont.

— Ce soir, c'est le grand Sauvit qui est au péage. Tu peux passer.

Avant de s'engager sur le pont, Pataro lance un regard en direction du fleuve. L'eau qui bouillonne mêle les reflets du ciel à ceux plus lumineux des masures et de la prison.

A la poterne, le chef de poste s'approche. Fort gaillard à longues moustaches. Il salue Pataro et tend la main à la petite qui fait comme si elle lui donnait une pièce.

— Merci, petite, dit le garde d'une grosse voix sonnante.

La circulation n'est pas très intense et ils vont jusqu'à la rive sans avoir à s'arrêter. Là, ils se séparent.

Ratanne s'engage dans une ruelle alors que Pataro et sa caisse s'enfoncent dans une autre.

Ici, plus de riches demeures de marchands ni de hautes maisons de tisserands. Grimpant à l'assaut de la prison, ce sont des bicoques de bois, de pierres rondes, de treillis en paille. Tout ce que le fleuve en décrue dépose de solide sur la rive gauche sert soit à bâtir, soit à faire du feu.

Le sol inégal de l'étroite venelle où l'infirme s'est engagé est jonché de détritus. Des enfants nus se traînent le long des murs ou pataugent dans les rigoles.

La lueur d'un feu où bout une marmite éclaire un corps d'homme couvert de mouches et de boutons, allongé à même le seuil de terre d'une porte basse. Une voix rocailleuse lance :

— Salut, Pataro !

— Salut, Pustule !

— J'ai faim.

— Mange ta main !

Le déformé s'en va sans écouter l'autre qui l'insulte calmement.

La fumée stagne, mêlée à d'aigres relents. Des femmes et des hommes vont et viennent. Tous saluent d'un mot Pataro qui répond de même. Des chiens faméliques couverts de gale flairent la caisse.

Pataro oblique à droite par une sente qui pique vers la rive entre deux espèces de talus crêtés de ronciers poussés sur des ruines de baraques plus anciennes. Tout au bout, un carré de fleuve ramasse les clartés du couchant qu'il mêle aux ombres de la colline et aux scintillements du quartier des marchands.

En bas, Pataro s'arrête. Laissant sa caisse, il s'enfonce entre deux touffes de hautes herbes et arrive bientôt devant une sorte de cahute faite de branches, de bouts de poutres et de terre glaise. Il pousse la porte. Au centre de la pièce se consument quelques débris. Une femme sans âge, voûtée, poitrine creuse et jambes repliées sous sa robe ample souffle sur les braises. Elle se redresse en grognant.

— Ce temps écrase même le feu.

— As-tu du courrier ?

— Juste pour le huit.

— Donne.

La femme se lève en grimaçant. Guère plus haute que l'infirme. Elle va remuer des objets de métal dans un recoin obscur et revient avec un petit rouleau de papier portant un cachet de cire sur son ruban.

— T'as un écu ? demande Pataro en prenant le rouleau.

— Paraît qu'y t'a payé pour deux la dernière fois.

— Y t'a rien donné ?

— Rien.

— Menteuse !

— Voleur ! Tu vas pas l'emporter au paradis, ton magot !

— En enfer ! T'inquiète pas : je te paierai à boire le jour où j'arriverai. Parce que tu y seras rendue bien avant moi. T'auras le temps de faire du boniment au diable pour qu'il me réserve une place à l'ombre.

— Saloperie vivante. Exploiteur. Sale maquereau !

Pataro sort en maugréant :

— Si je travaille pour les riches sans me faire payer, j' suis foutu.

Il fait presque nuit. Sa caisse grince entre les pierres. Au bas de la venelle, Pataro tourne à gauche et suit un sentier sinueux qui marque la limite entre le bas-port et les ruines. Il tire sa caisse dans un renfoncement, se dételle et entre dans un trou obscur d'où montent des miaulements.

— Oui, mon Fluet, tu vas manger. Oui, mon petit. Viens vite.

A tâtons, il ouvre une cage d'où saute un chat.

— Viens, mon petit.

Il regagne le sentier du bas-port.

La nuit est éclairée par les dernières clartés que garde le fleuve et par un croissant de lune qui se lève. Le chat jaune trottine autour de l'homme, la queue dressée, l'œil en éveil.

Ils longent à présent des masures qui semblent vouloir escalader les murailles de la prison dont l'ombre noie tout le quartier. C'est seulement du côté du fleuve que cette forteresse demeure nue. Seuls de lourds contreforts où s'accrochent des touffes d'herbe et de mousse la consolident sans monter jusqu'à la ligne d'étroites fenêtres quadrillées de barreaux qui s'ouvrent à quelques pouces au-dessus d'une corniche pas plus large que la main.

Pataro progresse sans faire plus de bruit que son chat. Arrivé à l'angle de la prison, il s'en écarte pour se dissimuler sous un buisson de saules nains. Il attend quelques instants en épiant la nuit, puis lance un ululement bref. Presque aussitôt, à chaque fenêtre, s'agite une main ou un mouchoir. Pataro place au cou de Fluet un collier de cuir muni d'une boucle de son invention qui permet de passer une pointe à travers les lettres. Le métal se referme par la pointe. Quand il a fixé la première enveloppe, Pataro, beaucoup plus bas, ulule trois fois. Une main s'agite à la troisième ouverture.

— Va, mon Fluet. Va vite, tu vas manger.

Le chat file vers les bâtisses collées à la prison et disparaît dans l'obscurité. Il reparaît bientôt sur le toit le plus bas. Il grimpe, bondit par-dessus la ruelle d'ombre et continue son ascension de toiture en toiture jusqu'à atteindre la corniche qu'il suit. A l'angle, il marque un bref arrêt comme s'il redoutait de se montrer sur la façade éclairée. Pataro le suit des yeux. Fluet avance la tête, hésite encore et file vers la main qui s'agite. La main se retire, le chat disparaît. Quelques minutes passent.

On entend assez nettement la rumeur de la colline où les métiers continuent de battre et le bruit du pont où piétons, cavaliers et charrois circulent encore.

Le chat reparaît, suit la corniche et, pour le retour, prend au plus court par le contrefort qu'il déboule comme une pierre.

Il fait ainsi autant de voyages qu'il y a de plis à porter ou à prendre. Chaque prisonnier prélève sur son repas de quoi payer celui que l'on appelle le messager jaune. Tout se passe sans que les gardes suisses qui font les cent pas tout en haut, derrière les créneaux, puissent deviner quoi que ce soit.

Le travail terminé, Pataro reprend le sentier. Le chat qui file devant s'arrête soudain et revient vers lui. S'immobilisant, l'infirme tend l'oreille. Un pas très lourd descend une ruelle. Pataro s'installe le dos à une roche, attire Fluet contre lui et se met à contempler le fleuve. L'homme approche :

— Bonsoir, chef!

Le marcheur s'arrête.

— C'est toi, Pataro?

— Pour te servir, chef.

— Que fais-tu là?

— Et toi, chef?

— Moi, je cherche le frais. Je crois bien que la journée a été la plus chaude de l'été.

— L'été est pas fini.

— Toi aussi, Pataro, tu cherches la fraîcheur?

— Non. Moi, je cherche la purification.

Le gardien de prison s'assied sur une roche en disant :

— Qu'est-ce que tu me chantes là?

— Tu comprendrais si tu passais tes journées dans le centre de la ville. Tu es dans la prison. Loin de la crasse. Loin du vice. De la puanteur, de la corruption... Loin de l'avarice.

— Tu ne vas pas te plaindre de l'avarice des gens, tu vis de ce qu'ils te donnent.

— Tu n'es pas d'ici, toi. Tu les connais pas. Ce sont surtout les pauvres qui donnent. Mais les grands bourgeois, c'est pas de la radinerie, c'est de la rapiasserie. Ça m'écœure... Tu peux me croire, chef : le pire ne se trouve pas derrière les portes des cellules !

— Toi, tu as toujours de ces trouvailles ! Venir chercher la purification près de la prison, ça ferait rire bien du monde.

— Le monde rira moins quand les pauvres se révolteront.

— C'est pas pour demain.

— Qui sait ?

Un silence passe. Puis Pataro ajoute :

— Regarde le fleuve, il lave même la nuit.

L'ombre et l'or se mêlent. Les reflets vibrent. Toute la ville a ouvert ses fenêtres éclairées. Au-dessus du quartier des marchands, la colline des Prières enfonce dans la clarté du ciel les aiguilles de ses clochers. Moins nombreuses que celles de la cité, les lampes des couvents tremblotent. Sur la droite, celles de la colline du Labeur veillent encore et la rumeur des métiers, très assourdie, arrive par vagues avec la fraîcheur qui monte des eaux.

A l'opposé, c'est la masse du château dont les fenêtres aussi sont illuminées.

Au bout d'un moment, le gros suisse soupire avec son accent épais :

— Tu as peut-être raison, Pataro... Peut-être.

Puis il se lève et s'éloigne pesamment en traînant ses bottes sur les pavés à tête de chat du bas-port.

4

DE retour chez lui, Pataro allume une petite lampe à huile dont la flamme fait vaciller son ombre sur les murs de grosse pierre. Il habite l'ancienne cave d'une maison écroulée depuis plus d'un siècle, qui devait être celle d'un notable au temps où la partie riche de la ville s'étendait jusque sur cette rive du fleuve. De cette époque, ne reste debout qu'un ancien château fort devenu prison, et c'est souvent avec les matériaux tirés des demeures abandonnées que les pauvres se sont bâti leurs taudis.

Pataro n'a pas eu à construire. Il a seulement déblayé au niveau du bas-port, dégagé une voûte basse et étroite puis un escalier qu'il a transformé en une rampe par laquelle il peut, sans trop de peine, descendre et monter sa caisse à roulettes. Il a même traîné dans son antre — ou fait traîner par d'autres — de belles pierres sculptées qui proviennent d'une ancienne église. Son lit est une porte d'armoire de sacristie en noyer avec de lourdes ferrures, il s'y recroqueville sur de la paille et se couvre de vieux vêtements dont une chasuble à fils d'or. Ses oiseaux et ses rats passent la nuit dans leur caisse. Seuls sont en liberté les chats qui viennent coucher avec lui quand ils ne sortent pas pour vagabonder.

Pataro n'est pas chez lui depuis cinq minutes que Ratanne arrive portant un bidon fumant. Derrière elle, vient un garçon d'une quinzaine d'années, trapu, noir de regard et de tignasse. Il serre contre sa poitrine la moitié d'une miche sur laquelle est posé un morceau de lard. C'est Paluche, le frère aîné de Ratanne. A lui, on a seulement coupé la main gauche.

— Alors ? demande Pataro.

Le garçon sort de sa poche une vessie de porc où tintent des pièces. Pataro la prend, la regarde et la soupèse.

— C'est maigre. Quel quartier tu as fait ?

— Les tisserands vers le haut.

— Je t'avais dit : du côté du fleuve.

L'adolescent hausse les épaules :

— J' sais pas ce qu'ils ont dans la peau, y sont pas comme d'habitude.

— Ce qu'ils ont dans la peau, c'est sûrement pas bon pour nous, mais faut voir comment ça va tourner. En tout cas, demain, j'aurai besoin de toi dans l'après-midi. (Il leur lance un regard sans amitié :) Tirez-vous. Et dites à votre mère que je veux la voir.

Pataro prend une cuillère sur une pierre d'évier où sont empilés des ustensiles de métal et de terre cuite. Il se hisse sur la planche qui lui sert de couchette, se cale l'épaule gauche contre le mur en se penchant loin vers l'avant, et, prenant la cuillère de sa pince droite, le menton au ras de la gamelle, il se met à laper à grand bruit. Il déchire des morceaux de pain et de lard qu'il mange en même temps que sa soupe où nagent quelques feuilles de chou.

Il achève de vider sa gamelle lorsqu'un bruit de sabots traînés au sol vient de l'entrée. Une femme avance presque à quatre pattes sous la voûte basse. Arrivée dans la cave, elle se redresse. Un corps solide, des seins lourds dans une robe brune en grosse toile. Le visage marqué a dû être beau. Les cheveux noirs semés de blanc sont huilés. Ils tombent en ondulant sur la nuque et les épaules. Le cou maigre où les tendons roulent sous la peau striée de mille rides minuscules est étonnamment long.

— Salut, Pataro.

— Ça va, Carré-d'as ?

— Ça va. Qu'est-ce que tu me veux ?

Une voix douce, avec des graves étouffés et des aigus légèrement enroués. Pataro s'arrête de manger pour demander :

— Y a longtemps que t'as pas vu ton Brisset du Torron ?

— Trois quatre jours.

— Demain tu y vas. Tu lui dis que si y veut savoir ce qui se passe chez les canuts, c'est trois écus.

La femme a un sourire plein d'ironie.

— Cet homme-là, il est sûrement mieux renseigné que toi. Tu parles qu'y va te donner trois écus...

L'estropié lui lance un regard dur. Son œil si clair s'est soudain chargé de feu. Sa voix s'enfle :

— Fais ce que je te dis. Et boucle ta gueule !

La femme ébauche un mouvement en direction du tunnel de sortie.

— Emporte ta galtouse, j'ai fini.

Pataro continue de mastiquer son pain et de racler de ses longues incisives jaunes ce qui reste de gras à la couenne du lard. Ses trois chats assis à côté de lui le regardent.

— Tant que t'es là, enferme Fluet.

La femme empoigne le chat jaune et va le porter dans la cage par terre, au pied du lit.

— Celui-là, grogne-t-elle, il a pas la belle vie.

— Tu l' dis tous les jours.

— Un chat, c'est pas un lapin.

— T'inquiète pas. Tant que tu seras aussi bien nourrie que lui...

Elle se retourne et se baisse pour se couler sous la voûte lorsque Pataro lance :

— Tu parles à personne de ce que je t'ai dit, hein ! Sinon, ça fait mal.

Sans se retourner, déjà à demi engagée sous les pierres luisantes de salpêtre, elle bougonne :

— Qu'est-ce que tu veux que je raconte, tu m'as rien dit.

Resté seul, Pataro coupe en deux sa couenne de lard qu'il donne aux chats demeurés près de lui. Il les regarde manger un moment, puis, dans une sorte de mouvement de reptation, il allonge son cou et souffle la flamme. Un point rouge meurt lentement. L'obscurité est épaisse, seule une très vague lueur entre par un soupirail où ne passerait pas la tête d'un enfant.

5

Ce matin, aussitôt arrivé sur la place, Pataro a donné le repas à ses bêtes, puis, les laissant sous la surveillance de Ratanne, il est parti seul par des ruelles et des traboules qui l'ont conduit chez Gonon.

L'imprimeur est au travail avec son aide et Charvet, son colporteur, grand vieillard sec et bougon, long visage osseux et grosses moustaches blanches toutes raides. Voilà quarante ans au moins qu'il parcourt, une boîte sur le dos, les provinces voisines pour vendre *L'Almanach du laboureur*. Il ne rencontre jamais Pataro sans lui glisser une pièce.

Dès qu'il le voit arriver, sa grosse voix tremble :

— Pataro, tu ne vas pas porter ces affiches. C'est trop de risques. Dis-moi à qui les livrer. Je vais y aller.

— Vous risquez plus que moi, père Charvet.

— Personne ne m'a jamais fait ouvrir ma boîte ni ma besace.

— Et moi, alors, croyez-vous qu'on vient mettre

le nez dans ma casaque ? Je ne connais pas un garde qui s'y risquerait. Ces suisses sont trop délicats.

Maître Gonon s'est approché.

— Pataro a raison, personne ne se méfie de lui. Si vous montez chez les canuts, on se demandera ce que vous allez y faire...

Le vieux coureur de chemins l'interrompt :

— Moi ? Mais qui m'empêche de quitter la ville par là ? J'ai toujours pris le chemin que j'avais envie de prendre, et il ferait beau voir qu'on veuille m'en empêcher.

Le vieillard a haussé le ton. Son honneur d'homme libre est en jeu. Pataro le tire par le pan de sa longue veste de toile grise tachée d'encre.

— Écoutez-moi, père Charvet. J'ai rêvé de corde. Et dans mon rêve, il y avait un colporteur d'almanachs. Prenez votre fourbi, et foutez le camp le plus loin possible de la ville.

— Voilà un fameux conseil, approuve le maître imprimeur.

Puis, avec un rire qui ne sonne pas très naturel, il demande :

— Est-ce qu'il y avait un vieil imprimeur, dans ton rêve, Pataro ?

Maître Gonon s'en va au fond de son atelier et revient avec un paquet qu'il aide Pataro à enfouir dans la poche pratiquée sur le devant de son vêtement.

— Là-dedans, on pourrait cacher une voiture de foin, remarque-t-il.

— C'est ça, lance l'infirme, et il se trouverait

bien un rigolo pour y foutre le feu... Aïe, ma mère. Pauvre Pataro!

Il s'éloigne en direction de la cour que baigne un jour encore fade.

— Dis-moi au moins à qui tu les portes!

Sans s'arrêter, l'infirme répond :

— Secret absolu. C'est moi qui vous apporterai l'argent...

— Rien du tout. Tu leur diras que c'est un cadeau... Tu leur dis bien que je ne veux pas un liard.

Du couloir humide où il s'engage déjà, Pataro lance :

— Voilà un geste qui vous portera bonheur, maître Gonon!

Il s'en va par un entrelacs de ruelles et de traboules souvent coupées d'escaliers ou de raidillons qu'il gravit assez vite. Des gens vont et viennent qui ne se soucient guère de lui. On échange des saluts, on se frôle en se croisant dans d'étroits passages. Plus la ville monte, plus les maisons sont hautes et serrées les unes contre les autres.

Les portefaix ont parfois tout juste la place de glisser leurs balles de soieries entre des murs qui montrent mille blessures. Dans les rues les plus larges, celles que Pataro évite de suivre mais qu'il doit traverser souvent, les chars tirés par des chevaux ont peine à se croiser. Le battement des métiers à tisser, qu'on nomme ici des bistanclaques, est partout. L'air vibre. Les murs paraissent habités jusque dans leurs fondations par ce grondement du travail.

Pataro atteint bientôt le début du plateau qui s'ouvre au faîte de la colline. Il longe une place où se tiennent quelques marchandes de quatre-saisons, enfile une rue légèrement pentue où il va un moment jusqu'à pénétrer dans un étroit couloir. Au fond, part une montée d'escalier qu'il emprunte jusqu'au deuxième étage. Ici, le bruit est plus assourdissant encore. Devant une porte, Pataro doit se hausser en s'agrippant à la poignée pour atteindre un anneau qu'il tire de tout son poids. Le tintement d'une cloche domine le bruit des bistanclaques. Aussitôt, ce boucan baisse d'un ton. Un des métiers vient de s'arrêter et une voix lance :

— Entrez !

Pataro actionne le loquet. La grosse porte grince et il entre dans une vaste pièce très haute de plafond occupée par trois métiers à tisser.

On dirait que trois édifices de charpente ont été montés pour soutenir le plafond de solives et de planches jointées. Des madriers, des poutres, des chevrons, les uns horizontaux, les autres verticaux et d'autres encore qui se balancent en claquant. Les fils luisants vibrent comme si le bruit se répercutait en eux.

Le bruit des autres ateliers vient jusqu'ici, assourdi par l'épaisseur des murs et des rideaux.

Sur des tables en bois tout aussi lustré que celui des métiers, des canettes, des bobines, des écheveaux multicolores.

De l'or et de l'argent comme s'il en pleuvait de la toiture, comme s'il en ruisselait des larges rideaux blancs obstruant les fenêtres. Des bobines aux multiples couleurs débordant de panières posées à même le sol de carreaux gris.

Ici, c'est le pactole. La richesse. La fortune. On peut plonger les bras jusqu'aux coudes dans la soie infiniment précieuse et douce au toucher.

Seule note moins chatoyante : ce que portent les hommes. Chemises de toile grise ouvertes sur la poitrine. Pantalons de même couleur. Ils sont deux. Plantés devant Pataro comme des chiens en arrêt en présence d'un gibier. L'un est la parfaite réplique de l'autre à quelques années près. Un troisième qui était perché au sommet de son métier descend par une échelle dont les barreaux couinent.

Vêtu de la même manière que les autres. Plus grand et plus épais, il est également beaucoup plus vieux. La masse grise de ses cheveux bouclés tombe sur ses épaules un peu voûtées et luit comme les soies qui pendent du métier qu'il était en train de monter.

— Alors, tu les as ?

La pince droite de l'estropié soulève le rabat qui ferme son immense poche.

— Prends !

Le canut se baisse et plonge sa main pour tirer le paquet ficelé qu'il s'en va poser sur une table ronde où les autres s'empressent de faire de la place en repoussant des écuelles et des casseroles.

L'odeur, ici, est particulière. Les ateliers, qu'on évite d'aérer pour préserver les soieries des variations de température et d'humidité, puent un mélange d'huile mécanique, de cire, de teinture, de soie, de cuisine pauvre et de sueur.

Deux lits bas sont dans un recoin sombre. A côté, un broc, deux pots de chambre et une large cuvette émaillée posée sur une chaise paillée. Dessous, un chat somnole. L'œil mi-clos, les pattes repliées sous la poitrine. Pataro observe :

— Y fait l' curé. Preuve qu'il est à l'aise.

— Sans lui, dit le plus jeune des canuts, les rats nous rongeraient tout.

Le maître tisseur dénoue rapidement la ficelle. Ses mains courtes sont habiles. Elles tremblent un peu lorsqu'il prend la première affiche et la lève. A voix haute, il lit lentement :

— Quand on ne considérerait les ouvriers en soie que comme des instruments ou comme des animaux domestiques, toujours faudrait-il leur accorder la subsistance qu'on est forcé de fournir à ceux-ci, si l'on ne veut pas s'exposer à se voir frustrer du fruit de leurs travaux.

L'homme se donne le temps de regarder ses deux compagnons puis l'infirme.

Une femme est descendue sans bruit d'une soupente. Elle s'avance d'un pas mesuré. Petite et maigre, avec un visage pâle où brillent des yeux bruns qui semblent apeurés.

— Tu as entendu, Mélie ?

Mélie fait oui de la tête, avant de dire :

— C'est dur, tout de même !

— C'est ce qu'il faut, dit l'homme dont le

regard tombe vers Pataro qu'il interroge : Et toi, qu'en penses-tu ?

— Oh, moi, personne viendra me demander mon avis !

— Moi, j' te le demande. J' sais que t'as de la jugeote plus que bien d'autres.

Pataro s'accorde quelques secondes puis :

— Que voulez-vous obtenir ?

— Tu n'as donc pas lu ?

— Bien sûr que non.

— Tu sais pourtant lire ?

— Aussi bien qu'un ministre, maître Mathelon, mais je lis jamais les messages qu'on me confie... C'est un principe que je tiens de ma mère.

Le tisseur reprend sa lecture :

— Les tisserands demandent une augmentation de deux sous sur la façon. Ils cessent le travail et ne le reprendront qu'après satisfaction. Ils se réuniront sur la plaine des Brotteaux dès huit heures pour en délibérer.

Mathelon laisse passer quelques instants. Le silence entre eux est si épais qu'on dirait presque que les autres ateliers ont déjà cessé leur besogne. Après une longue respiration, d'une voix plus sourde, le canut ajoute :

— Voilà !

Et c'est comme si ce mot les écrasait encore davantage.

Le grondement des métiers dans les immeubles voisins revient, mais pareil à une menace.

Tous sont tournés vers Amédée Mathelon, maître tisseur, adossé aux bois luisants de son métier.

La sueur perle sur son front. Une goutte couleur de clarté coule le long de son nez. Il tient toujours l'affiche entre ses mains, cependant son regard s'en est détaché pour se diriger vers la fenêtre ouvrant au nord, la seule où il n'y ait pas de tenture.

Un autre immeuble moins haut lui fait face, éclairé d'une belle lumière frisante qui dessine chaque aspérité et marque la ride d'une longue lézarde tortueuse. Pataro, lui, ne voit qu'un rectangle de ciel clair écorné par une toiture. Comme s'il y pensait, Mathelon demande :

— Toi qui vois les riches à ta manière, crois-tu qu'ils vont nous les donner, nos deux sous ?

— Maître Mathelon, tu sais aussi bien que moi que les riches n'attachent jamais leurs chiens avec des andouillettes. Surtout dans cette ville où elles sont meilleures et plus chères qu'ailleurs.

Cette réponse détend un peu l'atmosphère lourde de l'atelier. Un tchitement vient de dessous la soupente. La femme se précipite. On l'entend remuer une casserole et des cercles de fourneau. L'odeur de soupe est un moment plus présente.

— Alors, comme ça, dit l'aîné des ouvriers, tu ne parierais pas cher sur notre augmentation ?

— Non, fait Pataro, pas même deux sous !

Les autres hochent la tête en se regardant comme s'ils venaient d'entendre un infaillible augure. Le plus jeune soupire :

— Tout de même, dix-huit sols par jour, ça paie tout juste l' pain.

— Sûr qu'on met pas lourd de graisse dans la soupe, fait la femme.

Le maître tisseur demande :

— L'imprimeur t'a donné sa note ?

Pataro émet un surprenant petit rire avant de répondre :

— Y doit pas parier lourd non plus sur votre augmentation, y vous fait cadeau de son travail.

— Et le papier ?

— L' papier tout pareil !

Ayant dit, Pataro se tord sur place et prend la direction de la porte.

— Hé, attends un peu que j' te paie...

— Non, non, la livraison est gratuite aussi. Je suis comme l'imprimeur, moi, je mange pas l' pain des pauvres !

La femme propose :

— Veux-tu une écuelle de soupe avec nous ?

Sans se retourner, l'infirme qui pose déjà sa pince sur le loquet lui lance :

— Pas plus la soupe que l' pain. Mon travail m'attend.

Il est déjà en train de refermer la porte lorsque le tisseur lui crie :

— Merci, Pataro. T'es un brave !

6

POUR regagner la place de l'Hôtel-de-Ville, Pataro n'a pas emprunté le chemin le plus court. Il est descendu de la colline du Labeur par le flanc est qui domine le fleuve. Une fois en bas, il a hésité, peu décidé à continuer. Il allait comme si une charge plus lourde que les affiches ou sa caisse à roulettes lui eût pesé sur les épaules. Il a fini par traverser le quai pour dévaler vers le bas-port.

Il vient rarement à pareille heure sur cette berge d'où l'on voit la sienne, avec la masse compacte et lourde de la prison flanquée de chaque côté par l'incroyable empilement des masures et des ruines d'où jaillissent çà et là quelques maigres mûriers.

L'infirme avance lentement, regardant les bateaux-lavoirs et les barges des poissonniers amarrés tout le long. Le battoir des lavandières va aussi vite que les langues.

Comme le soleil est chaud, arrivé sous le pont, Pataro s'arrête. Trois ivrognes sont là qui lui demandent s'il n'a pas une petite pièce pour eux. Il leur lance :

— Faites comme moi, fainéants. Travaillez !

Les autres rient et crachent dans sa direction en l'insultant. Ce sont d'épais gaillards barbus et plus couverts de crasse que de haillons.

Le déglingué reprend sa route. Il va jusqu'à une rampe assez raide qui donne accès au quai. Il laisse passer un tombereau attelé de deux énormes chevaux qui monte en arrosant les pavés. Le cocher, assis sur son chargement de sable mouillé, crie et fait claquer son fouet.

Une fois en haut, Pataro hésite encore. Il semble fournir un grand effort de réflexion. Son regard va de la sortie du pont où passe le flot de la circulation, à l'entrée d'une rue marchande débouchant sur le quai, juste en face de lui. S'il se dirige vers l'avenue du Pont, il atteindra très vite son lieu de travail. Pourtant, il finit par traverser le quai entre les voitures et s'engage dans la rue Marchande.

Il n'hésite plus. Il va même assez vite. A plusieurs reprises, il bifurque et emprunte des traboules pour atteindre bientôt la demeure du juge Combras.

Dès qu'il entre dans la cuisine toute pleine d'odeurs chaudes, un valet se hâte. Pataro n'a guère à attendre. Le juge qui porte un vêtement de ville bleu roi sur une chemise de soie arrive.

— Alors ?

Le ton est impératif et presque angoissé.

— Eh bien, monsieur le juge, rien d' facile, dans cette histoire.

— As-tu des noms ?

— Eh, justement, y sont méfiants comme des couleuvres, ces canuts.

— Les affiches sont faites ?

— Oui, oui, j' viens d' les livrer.

La face écarlate s'élargit sur un sourire qui découvre des dents très jaunes.

— Chez qui ?

— Chez personne, monsieur le juge.

Le gros homme devient tout de suite rugueux. Son visage se fronce. Sa voix plus grumeleuse lance :

— Est-ce que tu te moques de moi ?

— Oh, que non, m'sieur l' juge. Vous savez bien la vénération que j' vous porte... Je vous dois tant et tant...

Il l'interrompt.

— Pas de discours. Que sais-tu ?

— Eh ben, voilà. J' suis allé prendre les affiches chez Gonon, mais c'est pas lui qui les a imprimées... Il était pas là.

— Qui est-ce ?

— Vous l' connaissez. C'est l' colporteur d'almanachs. L' vieux Charvet.

— Ça ne m'étonne pas. C'est une vieille fripouille. Et qui se pique de politique. Quand il se balancera au bout d'une corde...

— Celui-là, monsieur l' juge, vous l'aurez pas. Il a déjà bouclé sa caisse. Il a repris la route.

Les gros yeux un peu globuleux du magistrat s'assombrissent pour se remettre à étinceler aussitôt d'un éclat tranchant.

— Nous l'aurons tôt ou tard... Et alors, ces affiches ?

— Y sont malins. J'ai beaucoup peiné pour...

— Tu seras bien payé, va !

— Le vieux m'a dit : tu les portes sur le plateau. Une fois passé les dernières maisons par la route des Dombes, tu verras un mur écroulé. Tu le longeras. Tu vois un trou avec une vieille grille, tu laisses le paquet derrière la grille.

— Et alors ?

— J' l'ai fait.

— Et ils sont venus ?

— Une femme est venue. Je m'étais caché sous des buissons. Plus de deux heures, j'ai guetté là. Pendant c' temps, j' travaillais pas.

— Alors, qui est-ce ?

Pataro s'est adossé au pied de la table pour pouvoir plus aisément lever le regard vers l'homme qui est resté debout. Il soupire, hoche la tête, ébauche un geste du bras droit et dit :

— Alors, monsieur l' juge, vous me croirez si vous voulez, mais moi qui pensais connaître tout le monde sur la colline, eh ben j' connais pas cette femme.

Le gros homme claque du poing l'intérieur de sa main.

— Bon Dieu, rage-t-il, quand ils t'ont parlé de cette cachette, tu aurais dû venir m'avertir. J'aurais envoyé des hommes pour mettre la main sur cette vipère.

Les deux pognes dures de Pataro frappent comme des marteaux sur les dalles luisantes de la cuisine. D'une petite voix chargée de tous les remords du monde, il se lamente :

— Seigneur Dieu ! Vous qui êtes si bon pour moi, monsieur l' juge, et moi qui fais que des bourdes. Faut-il que je sois bête ! Plus bête que mes bêtes.

La voix du magistrat est bourrue :

— Allons, allons, mon pauvre Pataro, tu as fait ce que tu as pu. C'est bien. La police fera le reste. Tiens, tu as bien travaillé pour notre prince.

Il vient de tirer sa bourse d'où ses doigts boudinés extraient trois pièces d'argent. Pataro fait non de la tête.

— J'ai rien mérité.

Le juge Combras se penche et lui glisse les pièces dans sa poche.

— Brave Pataro. Tu es le meilleur. Va !... Et que personne ne sache d'où tu viens.

L'infirme s'éloigne en s'accusant encore d'être un incapable.

Aussitôt dehors, il file comme un rat en rasant les murs et en pédalant des bras et des jambes d'une ruelle à l'autre. Dès qu'il doit traverser une rue un peu large, il lance des regards à droite et à gauche.

Une fois sur la place, il siffle un coup. Ses moineaux et ses pigeons arrivent d'un grand vol qui fait rire les badauds. Bientôt le rejoignent chats et rats. Toute cette ménagerie pépie, roucoule, miaule et couine de bonheur.

— Me voilà, les gones, dit Pataro. Me voilà bien. C'est moi. C'est votre ami !

Il ramasse au passage les pièces qu'on lui tend, remercie d'une voix essoufflée et se dépêche en direction de la fontaine où les deux adolescents l'attendent. Sans même se soucier de la recette de cette matinée, il pousse Paluche vers le recoin que forment la caisse à roulettes et la margelle de pierre.

— Tu connais l' vieux Charvet, le colporteur d'almanachs ?

— Oui, celui qui fait la route pour maître Gonon.

— C'est ça. File à l'imprimerie. Tu entres par la traboule de derrière et tu tâches d'aguincher qu'on t'ait pas surveillé. Si Charvet est encore là, tu lui dis : « La route. Tout de suite. » Répète.

Le manchot un peu étonné répète :

— La route. Tout de suite !

— Fonce. Et oublie pas.

— Qu'est-ce que ça veut dire ?

Le regard de Pataro devient épée :

— Fonce et boucle-la !

Le garçon disparaît très vite dans la foule des promeneurs et des chalands. Alors seulement, Pataro s'approche du sac de cuir pendu au flanc de la caisse. Il le soupèse.

— J'ai versé trois fois, dit Ratanne.

— C'est bon.

— Y a quatre lettres.

— C'est bon.

— Et mon frère, où tu l'as envoyé ?

La patte de Pataro montre le haut de la colline des Prières :

— Là-haut, chez les sœurs de l'hospice, pour qu'il apprenne le latin. C'est te dire qu'il est pas encore de retour !

7

DANS les rues, on commence d'allumer les lampes. Les boutiques sont obscures. Presque toutes closes par des grilles ou d'épais volets de bois cloutés et renforcés de fer. Les fenêtres des étages sont éclairées. Dans la lueur qu'elles laissent filtrer vers l'extérieur, dansent des myriades de phalènes et de moustiques. Les ailes poudrées font des nuées d'or pétries de vent. Pourtant, le soir est calme, lourd et moite.

Pataro a reconduit Ratanne et laissé chez lui sa ménagerie. Avec Fluet, il a livré le courrier des prisonniers. Il a repassé le pont que seuls empruntent encore quelques fiacres et de rares piétons. Il se dirige droit vers la place de l'Hôtel-de-Ville.

Devant le théâtre, la foule est dense. L'infirme s'approche et se glisse entre les groupes. Il navigue en tirant un coup sec sur le pan d'une jaquette ou le bas d'une robe. Les pièces tombent. Sa main, dont la vue effraie certaines dames, les enfouit d'un geste rapide dans sa poche de poitrine.

Entre les chaussures qui luisent à la lueur des

lampes éclairant les arcades, l'infirme monte le large escalier. Il s'engage sur le sol de marbre du vaste péristyle où la foule est plus serrée encore. Des femmes s'écartent lorsqu'elles s'aperçoivent que c'est lui qui leur frôle les jambes. Certaines poussent de petits cris indignés. Des hommes le rabrouent. Quelques coups de botte ou de canne mais jamais très appuyés.

Un capitaine de cavalerie le frappe du fourreau de son sabre. Il y a des rires, puis une altercation entre le militaire et deux marchands.

Pataro n'émet aucune plainte. Pas un mot, pas un geste de révolte ; tordant le cou, il se borne à dévisager les gens. S'il est certain que personne ne l'observe, il a une manière bien à lui d'expédier un jet rapide de salive sur le bas d'une robe, sur une culotte ou entre les plis d'une cape de soie. Comme il s'est offert ce soir une énorme chique, ses cadeaux sont d'un beau brun qui tache bien et pénètre le tissu.

Lorsque sonne la cloche annonçant le début du spectacle, Pataro s'éloigne. A partir de ce moment-là, personne ne donne plus rien. Il remonte comme il peut le flot qui s'écoule lentement vers les trois entrées, encaisse encore quelques coups, puis s'engage sur la place à peu près déserte.

Le déglingué prend ensuite la rue de la Comédie dont le sol est si mal pavé que les cochers de fiacre s'efforcent toujours de l'éviter. Par là, il est tranquille jusqu'au quai qu'il n'y a guère de danger à traverser à pareille heure. Il dévale le talus de remblai embroussaillé de vorgine qui domine le bas-port en amont des ruines de l'ancien pont.

La lune à son premier quartier est déjà haute dans un ciel constellé. Un sentier d'argent vibre sur les meuilles qui tournent en aval des piles du pont. Les rochers et les bancs de gravier s'étirent, ourlés de noir. Trois moulins à bateaux et deux plates de pêcherie sont amarrés non loin de ce qui, avec des eaux à bon niveau, marque le milieu du fleuve. Aux fenêtres des moulins, de maigres lueurs tremblotent.

Le bas-port est absolument désert, pourtant Pataro progresse en prenant soin de rester toujours sous les broussailles, à l'abri des regards. Ainsi, sans se montrer, il atteint bientôt l'amas d'énormes pierres de taille appuyé contre la culée de l'ancien pont.

Là, il se trouve légèrement au sud de la prison dont la masse noire festonnée de lune est accroupie sur l'autre rive.

La crue mémorable qui a, voici plus de trente années, emporté le pont, a laissé les piles écroulées sur leurs enrochements. En ce moment, on profite de la sécheresse pour sortir des tombereaux de belle pierre.

La culée de cette rive droite restera. Personne n'a le droit d'y toucher car elle est imbriquée dans le soubassement du quai, juste au-dessous du palais de justice. Le guet y veille. De l'ombre des buissons, Pataro observe un moment les deux suisses en faction derrière le parapet du quai. Il a un ricanement et grogne :

— J' suis aussi bien gardé que la banque du prince !

De la protection du feuillage, il passe directement à celle des blocs de granit noir d'où émergent, dressés vers le ciel, quatre piliers de bois gros comme des chênes centenaires. Au pied du plus proche, s'amorce une voûte basse et étroite. Avec l'agilité un peu gauche d'une araignée, il escalade puis, s'allongeant, s'enfile dans ce trou qui sinue, à moitié barré par des quartiers de roche.

Bientôt dans une obscurité totale, Pataro s'arrête. Sa main fouille une crevasse d'où il extirpe un bout de cierge et un briquet. La semelle de corne de son poignet fait tourner la molette. La flamme du cierge vacille et éclaire cette voûte qui semble menacée d'écroulement. Au fond de ce trou guère plus volumineux que Pataro, s'ouvre une brèche où il parvient à se faufiler en s'aidant des coudes, des pinces et des genoux. Il accède ainsi à une sorte d'excavation un peu plus haute où il fiche son bout de bougie entre deux pierres déjà couvertes de cire.

Pataro déplace une roche qu'il fait rouler à côté de lui, et plonge son bras droit dans un trou d'où il retire une marmite de fonte. Il soulève le couvercle. Le récipient noir est aux trois quarts plein de pièces d'or et d'argent. L'infirme les contemple quelques instants, puis, tirant de sa grande poche son sac de cuir, il en dénoue le lacet pour le vider dans la marmite. La flamme du cierge fait étinceler les pièces et luire le regard de Pataro qui pétille d'une joie intense. Il sourit et hoche la tête. Son crâne qui se balance miroite comme un galet huilé.

Ayant tout remis en place, Pataro sort et se coule sous les buissons où il demeure un moment à contempler le ciel étoilé entre les branches de saules nains que soulève à peine la fraîcheur montant des eaux.

La nuit s'avance et les canuts continuent leur travail.

Quand Pataro qui est remonté sur le quai approche de l'entrée du pont, il peut entendre deux orchestres qui se répondent. Sur sa gauche, dans la ville basse où s'amassent les fortunes, c'est celui du théâtre qui joue pour le prince et les siens, pour la cour, pour les officiers, pour les riches marchands. De la colline du Labeur où les quinquets font vivre chaque fenêtre, ruisselle la musique du travail : le martèlement des métiers à tisser. Dans chaque atelier, des hommes, des femmes, des enfants de sept ans et des vieillards au dos cassé par l'effort peinent de bien avant l'aube jusqu'au milieu de la nuit pour un salaire de misère.

A l'instant où cessera le roulement de leur tâche, quand ils iront s'étendre pour quelques heures dans des soupentes étouffantes, l'autre musique aussi s'éteindra. Des loges de pourpre et d'or du théâtre sortiront des gens qui s'en iront dîner de volailles et de cochonnailles.

Pataro écoute un moment ce duo de la cité, puis il s'engage sur le pont désert sous lequel le fleuve tisse la soie noire et l'argent de la nuit.

8

LA ville dort. Presque toute la ville. Pataro dans sa cave avec les deux chattes grises collées contre lui. Fluet dans sa cage. Les miséreux qui vivent sur la rive gauche ne sont pas tous couchés dans leurs taudis, certains préfèrent les ruelles. Ils y traînent des herbes sèches, parfois une toile ou même un matelas venu d'on ne sait quel héritage fabuleux.

Dans la prison, les détenus du haut sont sur des lits de sangle. Les plus aisés ont leur propre mobilier qu'ils ont fait apporter le jour de leur incarcération. D'autres n'ont que la paille s'ils peuvent donner dix sols par semaine pour qu'elle soit changée. D'autres enfin n'ont que la planche.

Ceux des cachots du bas ont les dalles humides. Ils savent qu'ils ne sortiront jamais de ces caves étroites, sans soupirail, conçues pour les habituer à la nuit froide de la tombe.

Sur l'autre rive, dans le palais, le prince qui est un gros homme un peu mou a du mal à dormir. La chaleur l'incommode. Cette nuit, en rentrant de dîner, il a ordonné qu'on porte son lit sous les arbres du parc. Un voile jeté sur l'armature du baldaquin et pendant jusqu'à terre le protège des moustiques.

Les marchands sont chez eux, dans ces maisons profondes dont les volets sont restés clos tout le jour. Les domestiques occupent des recoins sous les montées d'escalier ou dans le fond des cuisines stridulantes de grillons.

Gardes, policiers et soldats reposent dans les casernes.

Sur la colline des Prières, religieux et nonnes somnolent entre deux appels de cloches.

Sur la colline du Labeur, écrasés de chaleur et de fatigue, les canuts sont couchés près des métiers inertes dont le bois fatigué craque parfois comme s'il voulait tout seul se remettre au travail. L'odeur d'huile mécanique a lentement chassé toutes les autres pour envahir les ateliers au repos.

Aux grilles du palais, aux portes des édifices publics, sur le pont, au sommet de la prison veillent des gardes suisses. D'autres patrouillent dans les rues du quartier riche où seuls les gens qui y logent ont le droit de circuler la nuit.

Et pourtant, cette nuit, des gens circulent.

Alors que les gardes s'avancent en toute majesté, précédés de fort loin par le bruit de leurs bottes et le ferraillement des armes, quelques jeunes canuts agiles, pieds nus, silencieux comme des ombres de chat, collent des affiches contre les volets ferrés des boutiques appartenant aux plus riches fabricants.

Des audacieux sont même allés en placer sur les portes de quelques demeures de magistrats, d'échevins et de nobles. On en découvrira jusque sous les arcades du théâtre et à deux pas de l'hôtel de ville pourtant solidement gardé.

Une autre vie nocturne va son petit train habituel. Celle des pirates du fleuve. Ceux-là, les gardes les aperçoivent parfois, mais, amateurs de poisson frais, ils s'arrangent avec eux. Ces braconniers se dissimulent à peine pour lancer leurs carrés et tendre leurs tramails en aval des ruines de l'ancien pont, à peu près à hauteur du château princier. C'est là que le poisson se tient le plus volontiers. Cuisiniers et femmes de charge viennent déverser dans les eaux bouillonnantes tout ce que le prince et la centaine de personnes qui vivent dans son ombre n'ont pas voulu manger.

La ville dort. Repue ou affamée, ivre de vin ou de fatigue, elle s'est laissé prendre par la nuit.

Le fleuve poursuit son chemin d'ombres constellées. Ses eaux ont encore de la vigueur. Descendues très vite des hauts glaciers, elles gardent une fraîcheur pleine de bonnes odeurs. Mais la vapeur ténue qui s'en dégage atteint à peine les pavés du bas-port usés par le frottement des cordes d'amarrage.

Sur la cité, demeure la chaleur qui sourd des pierres et des tuiles, des dallages et des interminables escaliers. La nuit la diffuse. La pousse jusqu'au fond des traboules humides et imprégnées de crasse. Même les caves en reçoivent leur part que laissent passer lentement d'étroits soupiraux.

Dans cette ombre épaisse, une guerre permanente se livre entre des milliers de rats ventrus, souvent couverts de croûtes purulentes et des chats que la faim rend téméraires. Les rats sont en si grand nombre que ce sont parfois les chats qui sont dévorés.

La ville dort, et la lune ronde, énorme dans un ciel clouté d'or, la contemple du même regard glacé qu'elle pose sur le reste du monde.

DEUXIÈME PARTIE

Les pendus de l'orage

9

PATARO a nourri ses bêtes de quelques déchets. Il les a laissées dans leur cage pour venir se mettre en observation sur la berge à peu près à mi-chemin entre la prison et le débouché du pont.

Par-delà le fleuve qui noue et dénoue ses remous lustrés de lumière naissante, la ville s'éveille dans un grand étonnement. Ce que l'infirme ne peut distinguer nettement d'où il est, il le devine. Au long du quai, sur la place de l'Hôtel-de-Ville, dans les rues des quartiers riches et marchands, les gens tendent l'oreille vers les hauteurs et s'interrogent. Le silence lourd, insolite, enveloppe la colline du Labeur. Pas un seul métier ne s'est mis en marche.

Bourgeois, fabricants, échevins, hommes d'armes, officiers de police, gardes suisses, prêtres, religieux, cochers et domestiques sortent sur le pas des portes pour tendre l'oreille. L'épaisseur de ce silence les pousse à baisser le ton. C'est à mi-voix qu'ils questionnent. Dès qu'approche un attelage bruyant, ils froncent les sourcils. Dès que son roulement s'éloigne sur les pavés ronds qui secouent les lourds bandages de fer, on prête de nouveau l'oreille comme si on espérait encore.

Non : la colline du Labeur reste muette. Endormie. Pas un seul bistanclaque ne se décide à battre.

On ne se remet à parler qu'après avoir découvert les affiches, devant lesquelles de petits groupes se forment, qui grossissent très vite.

De la rive où il s'est installé, le dos à un contrefort de granit, Pataro voit parfaitement l'entassement de hautes façades des demeures de tisserands. Les feux du levant illuminent les fenêtres dont un grand nombre sont closes.

Carré-d'as arrive, s'accroupit à côté de l'infirme.

— Alors ?

— Pas une navette qui court, pas une bobine qui tourne ? Ça fait drôle, tout de même !

— Et qu'est-ce que ça va donner ? demande la femme dont le visage est plissé d'inquiétude.

— As-tu interrogé tes cartes ?

Elle a un haussement d'épaules.

— Les cartes ne savent rien de ça.

— Dommage, soupire Pataro, j'en connais qui donneraient gros si on pouvait leur dire ce qui va se passer.

— Y se passera rien. Les fabricants sont les plus forts. La preuve : ce sont les canuts qui fabriquent, ce sont les marchands qu'on appelle fabricants. Les pauvres n'ont même pas le droit d'être ce qu'ils sont !

Le soleil monte. Il fait vibrer sur le fleuve le reflet vert sombre du pont.

En aval, contre les piles en ruine, l'écume étincelle. Le niveau a encore baissé. Sur cette rive où le fond caillouteux est en pente assez douce, trois lourdes barges vides sont échouées. On devine déjà le miroitement de l'eau entre les planches des bordages que le soleil a desséchées. Vers l'amont, par-dessous la première arche, on voit s'amorcer la vaste plaine des Brotteaux semée de lônes et piquée de buissons rabougris. Un voile de brume lumineux y stagne encore d'où émergent quelques îlots de peupliers-trembles.

Sur l'autre rive, les plates à lessive ont commencé de fumer. Cependant, le battoir des lavandières comme leur langue restent en suspens. Elles aussi écoutent la colline qui ne se décide pas à travailler.

Des mariniers à la décize semblent surpris. Mais le courant les oblige à s'intéresser seulement à la navigation. Aussitôt passé les meuilles du pont, ils doivent manœuvrer juste pour déjouer les pièges des anciennes piles écroulées qui forment une amorce de barrage. On voit les longues embarcations piquer du nez dans les remous tandis que les cadoles de toile verte paraissent soudain habitées d'un vent furieux. Le prouvier force sur sa longue harpie de mélèze et l'homme de barre s'arc-boute, le dos cassé et les bras vibrants. L'arrière frôle les enrochements écumants mais passe sans heurt.

Le soleil monte et les cloches des églises, avec un peu d'écart, piquent toutes huit heures. D'habitude, c'est le moment où les tisseurs cessent leur besogne le temps de manger la soupe du matin. Sans doute, au cœur de la ville, certains espèrent-ils encore que le travail va commencer après ce repas, mais il n'y a pas de soupe. Aucune cheminée ne laisse aller le moindre filet de fumée. Pataro l'a remarqué :

— Y vont pas tarder à descendre.

Sur la place de l'Hôtel-de-Ville, comme dans les rues alentour, les gens dans l'expectative ont un instant d'émotion. Mais non, ce n'est qu'une fausse joie. Le grondement qui ruisselle soudain des traboules, des ruelles, des multiples escaliers dévalant la colline n'est pas celui des métiers à tisser. Plus sourd, il grandit lentement. Il approche sans hâte tout au long des rues, des couloirs sombres pour progresser en direction du théâtre, de l'hôtel de ville et du quai.

Bientôt, les premiers groupes débouchent. Ils sont peu nombreux. Leur tête hésite un instant comme éblouie au sortir de l'ombre, mais, très vite poussée par la multitude dont on perçoit jusque sur la rive gauche le piétinement et le bourdon des voix, elle avance.

Cette fois, la colline entière se vide. Par familles, par maisons, par ateliers, par corporations, les hommes, les femmes et les enfants marchent en direction du pont où ils s'engagent bientôt. Un engorgement se produit au poste de péage.

— Va y avoir de la bisbille, dit Carré-d'as.

— Du moment qu'ils paient, personne peut les empêcher d' passer. C'est la loi.

Les remous du fleuve nouent et dénouent le reflet multicolore de cette troupe serrée et le mêlent à la lumière. Il y a de la fête et de la joie dans l'air.

La tête de leur cortège atteint déjà la rive gauche que les ruelles de la colline continuent de s'épurer vers le fleuve. Pataro ordonne :

— Va dire à tes gones d'aller sur la plaine des Brotteaux. Pas besoin des bêtes. Ce sera une bonne journée. J'y vais. Qu'ils me cherchent pas, y aura trop de monde.

Docile, la femme s'éloigne en direction des masures de la prison tandis que l'infirme, pédalant de ses quatre membres maigres dont on ne sait plus distinguer les jambes des bras, s'en va vers le cortège. Comme lui, des miséreux s'y rendent qui viennent de quitter leurs cabanes. Des enfants nus courent devant.

— C'est cent fois dimanche, dit un vieillard cassé en deux qui avance avec des cannes où ses mains sont crispées à hauteur de sa tête.

— C'est mieux que ça, fait Pataro.

— Ils ont les musettes bien pleines.

— Et des paniers.

— Et sûrement pas mal de dames-jeannes.

Chaque malheureux a son mot d'espoir. Ils savent que les canuts en joie ont le cœur sur la main, beaucoup plus que les bourgeois et les nobles.

10

LA plaine des Brotteaux commence tout de suite en amont du pont. Les seules constructions sont quatre guinguettes et une dizaine de cahutes où vivent des pêcheurs. Le reste est une terre que la sécheresse et les piétinements ont dénudée. Seuls subsistent les buissons qui entourent les lônes à présent à sec et quelques groupes d'arbres assoiffés, peupliers, trembles et saules-têtards au feuillage déjà recroquevillé par une mauvaise rouille jaunâtre.

Pataro arrive avec les premiers. Il se hâte vers la guinguette la plus proche pour éviter de se trouver au gros de la poussière que ces milliers de pieds vont soulever. Il monte deux marches pour accéder au plancher où sont tables et bancs, s'adosse au mur de brique pour ne pas se trouver dans le passage.

D'ici, il regarde venir le monde. C'est tout l'univers de la soie qui s'en vient. Les femmes, les enfants, les hommes qui font tourner les bobines ou les ourdissoirs, courir les navettes et battre les métiers. Les lanceurs, les appondeurs en gros et en fin, les tireurs, les tordeurs et les dessinandiers. Pataro n'est pas étonné que des chapeliers-approprieurs et des taffetatiers aient eux aussi répondu à l'appel des affiches qu'il a lui-même portées chez maître Mathelon. Il reconnaît des portefaix et même quelques vieux manouvriers qui n'ont guère de liens avec le monde de la soie.

Des groupes s'éparpillent alors que d'autres se forment. Des gens tournent et se cherchent, d'autres qui se sont trouvés s'immobilisent. Les compagnons entre eux, les maîtres avec les maîtres, les ourdisseuses entre elles, les apprentis avec les apprentis.

Déjà des familles unies à d'autres s'en vont prendre les meilleures places à l'ombre sous les arbres et ouvrent les paniers. Le pain en sort avec les caillettes, les grattons, les paquets de couenne et même, chez les plus fortunés, ceux qui ont trois sous vaillants au lieu d'en devoir deux, du fromage de tête qu'il faut se hâter de manger avant que la chaleur ne fasse fondre la belle gelée verte de persil haché.

Les enfants courent d'un groupe à l'autre, tout à la joie de ce dimanche inespéré pour eux qui sont à lancer la navette, à porter les cartes ou à tirer les fils dès l'âge de huit ans.

Pataro demeure sur le plancher de la guinguette. Non plus pour éviter d'être asphyxié par la poussière ; à présent, la poussière est partout et même les plus grands en respirent un bon bol. Il reste ici parce que des maîtres tisserands s'y sont réunis. Ils sont généreux et, surtout, ils parlent. L'infirme est tout aussi attentif à leurs propos qu'aux quelques pièces qu'il reçoit.

Il n'apprend pourtant rien de bien nouveau. Ces gens s'entretiennent du mal qu'ils ont à vivre, des bénéfices énormes que les fabricants tirent de leur sueur.

— Il faut fixer un tarif.

— Le fixer, ils le fixeront, mais le moyen de le faire respecter, tu l' connais, toi ?

— Faut l' trouver, pardi !

Chacun y va de sa proposition, mais rien ne semble raisonnable. Rien n'a une chance d'être accepté.

Cependant, çà et là, un homme monte sur une souche de saule ou un rocher et se met à hurler :

— Deux sous ! Nous ne réclamons que deux sous d'augmentation sur les façons. C'est tout de même pas la fortune à Crésus !

Et tout le monde se prend à répéter :

— On veut nos deux sous, on les aura !

— Deux sous par aune sur les étoffes unies, ça veut ruiner aucun riche.

Les tenanciers des guinguettes versent à boire, mais, bientôt, ils laissent ce soin à leurs épouses et aux serveuses pour se réunir eux aussi avec quelques cabaretiers venus de la ville. Pataro a de la chance, ils prennent place à une table dont il peut aisément s'approcher. On lui tend à boire et on lui glisse la pièce. Un gros cafetier de la rue des Changeurs le prend même à témoin :

— Toi, Pataro, tu les connais mieux que personne, les riches. J' sais qu'y t'arrive d'aller manger avec leurs chiens.

— Ça m'arrive, j' suis juste à bonne hauteur.

Il y a quelques rires, puis le gros homme qui se nomme Hugonnier reprend son discours :

— Nous autres aussi, nous avons à réclamer. C'est l' bon moment. Le droit de banvin était tombé en désuétude. On l' croyait aboli. Va te faire foutre...

Une voix l'interrompt :

— T'as déjà vu abolir un impôt ?

— Non, mais on pouvait le croire. Et voilà qu' ça recommence. Une dîme de trois livres par ânée de vin débité au pot ou à la chopine, c'est pas acceptable.

— C'est pas supportable !

— Mieux vaut fermer boutique !

— T'as raison, hurle un grand gaillard tenancier de guinguette et braconnier. On devrait fermer tout de suite.

On se répète le mot de table en table et les tisserands protestent.

— Pas aujourd'hui !

— On va crever de soif !

— Avec une chaleur pareille, faut boire.

— Vous pouvez pas nous trahir !

Hugonnier monte sur un banc et lève ses bras de grosse femme pour obtenir le silence. On se calme pour l'écouter.

— Pas aujourd'hui. Mais si votre mouvement se prolonge demain, nous fermons. Pour les riches qui viennent sauter leurs maîtresses chez nous : bouclé aussi !

On l'acclame. Même ceux qui n'ont pas compris un mot se mettent à crier.

Il faut un bon moment pour que la nouvelle se propage sur toute la plaine.

Quand elle a atteint les confins, elle revient comme une vague. Plus de dix mille voix se mettent à hurler :

— Les cabaretiers avec nous ! Avec nous ! Avec nous !

Et le pisse-dru à six deniers le pot se met à couler plus abondant.

Les compagnons qui gagnent pourtant moins de vingt sols à la journée et ont du mal à payer leur pain qui vaut huit sous la livre trouvent, en raclant le fond de leurs poches, de quoi offrir à boire aux apprentis bien plus pauvres qu'eux.

Avec la chaleur, le vin monte vite à la tête de ces hommes et de ces enfants dont beaucoup n'ont jamais autant bu.

D'un mot à un autre, on en vient vite à trouver que donner des sous pour passer le pont lorsqu'on vient, le dimanche, se détendre un moment sur les Brotteaux, c'est un scandale. Ceux qui se trouvent près de Pataro se mettent à plaisanter.

— Toi, le prince, tu t'en balances, tu passes à l'œil !

— Paraîtrait même qu'y touche sur le passage des autres.

— T'as tout d'un garde suisse, Pataro !

L'infirme se contente de sourire.

Soudain, venue d'on ne sait quel groupe, une autre clameur déferle :

— On rentre sans payer !

— On force le péage !

Maître Mathelon, qui n'a encore rien dit à très haute voix ce matin, monte à son tour sur un banc et réclame à grands gestes le silence. Il a du mal à l'obtenir sur un périmètre assez restreint.

— Ne faites pas de folies ! crie-t-il. Pas de bataille avec le guet. Vous risqueriez de tout compromettre.

On l'écoute à moitié. Les autres maîtres tisseurs qui sont avec lui décident dc se répartir pour tenter de calmer les esprits.

— Il faut apaiser les Piémontais. Y sont enragés.

On les entend crier dans leur langue. Et la femme de Hugonnier qui les comprend puisqu'elle est née au Piémont explique :

— Ils disent qu'ils n'ont pas quitté la misère chez eux et fait tant de chemin pour retrouver la même ici.

A mesure que le soleil monte, la fièvre augmente, et cette nuée de poussière d'or semble couver un orage noir.

11

ILS doivent bien, à présent, être plus de vingt mille sur la plaine grillée.

Vingt mille gosiers desséchés par la chaleur et la poussière de plus en plus dense que les bourgeois du centre, les nonnes et les prêtres de la colline des Prières regardent s'élever avec inquiétude.

Vingt mille qui ne savent plus que répéter sur tous les tons qu'il faudra bien qu'on finisse par leur accorder leurs deux sous.

Ils savent que de leurs métiers à tisser cascadent vers les magasins et les entrepôts des fabricants fortunés les velours, les taffetas, les indiennes, le satin, la lustrine, les passementeries sans compter ces chefs-d'œuvre étincelants destinés aux grandes cours d'Europe, aux châteaux et aux garde-robes de toute la classe richissime de ce bas monde, aux géants de la finance, à la noblesse, aux grands de l'Église. Ils savent qu'ils besognent de bien avant l'aube à bien après le crépuscule pour décorer et tapisser les murs de demeures où nul canut, jamais, ne sera autorisé à poser un regard.

Ils ont bu pas mal, mais c'est surtout de paroles qu'ils se saoulent. Ils ne cessent de répéter qu'ils se crèvent à tisser le mieux possible une soie qui sort à flots chatoyants des métiers, alors qu'en échange l'argent n'arrive chez eux que goutte à goutte.

Il y a parmi eux des gens qui parlent haut avec des jurons tous les trois mots, mais il y en a aussi qui parlent juste, même s'ils sont portés par une grande colère. Ainsi Ferdinand Monneret qui, avant d'être tisserand, a étudié. C'est un grand gaillard blond de trente-cinq ans avec un visage qui fait rêver les filles. Tête nue en plein soleil, debout sur une table qu'on a sortie d'une guinguette, il est très entouré.

— Savez-vous, mes amis, ce qui provoque en nous le désespoir ? C'est la pingrerie honteuse, c'est la cupidité des marchands de cette ville dont les caves regorgent d'or. C'est à nous qu'ils doivent leur richesse. A nous et à nos morts. Nous devons rester calmes et désigner des délégués qui iront trouver les juges-consuls.

Des voix s'élèvent :

— Ils sont tous marchands !

— Ceux qui ne le sont pas sont vendus !

Monneret laisse déferler quelques vagues de colère puis, lorsqu'elles s'apaisent d'elles-mêmes, il rétorque :

— Il leur faudra bien nous écouter si nous tenons fermement notre arme. Et notre arme, vous le savez, c'est la grève. Sans notre travail, ils ne sont rien. Le travail que nous exécutons, ils ne trouveront personne pour le mener à bien. Pas d'argent pour eux tant que durera la grève.

Nul n'a encore parlé de grève. Ils sont en grève depuis l'aube sans se l'avouer. A présent qu'il est lancé, le mot se met à voler comme une mouche qui se multiplie en tourbillonnant. C'est très vite un essaim énorme qui bourdonne.

Alors qu'il semble avoir gagné toute la plaine, comme la vague heurtant la falaise, il revient vers le lieu d'où il est parti, métamorphosé. On crie :

— Grève du péage. Aux barges ! Aux barges !

Personne ne se soucie de savoir qui, le premier, a lancé cette idée. Personne non plus n'écoute les quelques sages qui conseillent d'attendre. C'est la ruée vers le rivage. Les uns foncent droit au pont pour passer sous les arches à sec, les autres vont en direction des masures du quartier des prisons. Tous se retrouvent sur la rive, à l'endroit où sont échouées trois longues barges vides qui servaient au transport des pierres. Des centaines de mains s'accrochent au bois noir. Des bras se tendent, les dos se gonflent de force puisée dans la rage.

Quand Pataro arrive à l'entrée du pont d'où il domine le fleuve, la première embarcation est déjà à flot. Vingt hommes au moins sont à bord. Ils ont arraché des planches de bordage qui leur servent de rames, de harpies, de gouvernails. Ils ne sont pas bateliers, mais ils ont tant vu travailler les mariniers du fleuve que la manœuvre n'a plus aucun secret pour eux.

La barge se tourne en travers du courant qui va la plaquer contre les deux premières piles de l'ancien pont. Une ample clameur monte. C'est comme si ce bateau à fond plat avait été conçu exactement pour aller d'une pile à l'autre. Il ferme aussi bien qu'une porte.

Et déjà les deux autres ont pris le large. Avec autant de précision, elles s'en vont se placer exactement où elles doivent aller.

— C'est notre pont ! hurlent mille voix.

— Un pont sans péage !

Le niveau de l'eau ainsi retenue monte déjà, mais il suffira de se mouiller les pieds pour atteindre la première barge et de recommencer en sautant de la troisième sur les galets de l'autre rive.

Les gardes du péage sont sortis de leur tour. Ceux de la rive gauche se tiennent à côté de Pataro et d'autres miséreux.

— Qu'est-ce qu'on peut faire ? demande un jeune suisse qui a un épouvantable accent.

— Rien, dit un autre, c'est pas nos affaires. On est pour ce pont, pas plus.

En face, personne ne semble vouloir s'opposer à ce que les tisserands prennent pied sur la berge. Au contraire, dès que les premiers arrivés commencent à gravir le remblai menant au quai, les curieux qui s'étaient massés refluent. Des fenêtres et même des volets se ferment.

Pataro s'engage sur le pont de pierre. C'est la première fois de sa vie qu'il se trouve seul entre ces deux parapets qui limitent sa vue aux pavés et au ciel. Il force l'allure. Il veut voir.

A l'autre poterne, personne ne prête la moindre attention à lui. Tous les gardes sont alignés côté aval et observent ce passage du fleuve qui les libère de leur tâche.

Dès qu'il atteint la fin du parapet, Pataro s'arrête, un peu essoufflé.

Sur les barges, la longue file continue de s'étirer. Entre les barges, des hommes aident les femmes à enjamber et se passent les enfants comme les paniers et les sacs qui ont servi au transport des victuailles. Rive droite, c'est la même chose, on aide les femmes à descendre. Les enfants pataugent et se jettent de l'eau.

Certains s'y roulent. C'est la fête. Et sur cela un soleil encore très haut. Tout se passe dans un éclaboussement lumineux.

Deux fabricants que Pataro connaît fort bien s'approchent de lui.

— Alors, tu y étais aussi ?

— J' suis toujours où les sous tombent bien.

— Tu as entendu ce qui s'est dit ?

— J' suis pas sourd. Ils ont passé la journée à répéter la même chose !

L'homme cherche dans son gousset d'où il sort une pièce d'argent qu'il fait sauter dans sa main.

— En as-tu ramassé beaucoup de cette taille ?

— Les tisserands n'en voient jamais, vous l' savez bien.

— La voudrais-tu ?

La pièce saute et tournoie.

— Alors, qu'est-ce qui s'est dit ?

— Que les fabricants sont des fripouilles et que...

L'autre homme lève sa canne. Pataro le regarde.

— On m' demande ce qui s'est dit...

— Laisse-le parler, mon ami.

Pataro fait non de la tête et reprend la direction du pont en grognant :

— J'en ai assez vu et assez entendu pour aujourd'hui. Gardez votre pièce et vos coups de trique. J' vais m' coucher.

L'homme à la pièce essaie de le rappeler, mais l'homme à la canne lui lance :

— Fripouille ! Tu seras pendu avec toute la racaille !

Pataro qui vient d'arriver à hauteur des gardes crie :

— Et mon cul, y sera pendu ?

Les suisses se mettent à rire. Pataro continue sa route.

La rumeur est toujours présente, mais, déjà, on sent que la venue du soir fait peser sur la cité une grande fatigue.

12

LE ciel où s'endorment de longs stratus violets est encore rouge derrière la colline des Prières hérissée de clochers noirs. La terre est baignée de nuit.

Les barges ont fait monter le niveau du fleuve. Leur barrage a surtout métamorphosé la surface des eaux où de lents remous ont remplacé les muscles noueux du courant. Les reflets du couchant s'y mêlent à ceux des quinquets de la ville qui retrouve son calme. Les lanternes des fiacres et de quelques charrois attardés tremblotent sur la rive droite et sur le pont. Des fenêtres commencent à s'éclairer au flanc de la colline du Labeur où les tisserands exténués regagnent leurs maisons.

Quand Pataro arrive à l'entrée du quartier de la prison, Carré-d'as est là, qui l'attend, adossée à l'angle d'une masure. Elle geint :

— Le fleuve charrie du sang; c'est mauvais signe.

— Possible, mais la journée n'a pas été mauvaise.

Ils vont jusqu'à la baraque où la tireuse de cartes

demeure avec Ratanne et Paluche. Une lueur rousse pénètre encore par la porte ouverte et la fenêtre étroite. Elle s'ajoute à celle d'un reste de feu allumé dans l'angle opposé à la fenêtre, sous un trou de la toiture.

— Ta soupe est chaude, dit la femme.

Elle va près du feu. Sur une pierre carrée elle prend une petite gamelle de fonte noire, soulève le couvercle qu'elle pose sur une dalle où se trouvent d'autres ustensiles.

— Où sont les gosses ? demande l'infirme.

— Au poisson. A cause des barges, ça va remuer l'eau. Ça devrait donner dur pendant un jour ou deux.

— Les barges resteront pas deux jours. Tu parles, tout le monde qui marche à pied passerait par là. Le prince va sûrement laisser comme ça le fromage lui tomber de la gueule, on peut y compter, tiens ! Et les bateliers, faut qu'ils naviguent !

— On verra.

Elle apporte une sorte de grand bol en fer et une cuillère. Pataro se met à manger. Après la première bouchée, il constate :

— Ta soupe est épaisse. Meilleure que les autres jours.

— Les pauvres pleurent la faim, j' te jure qu'avec ce qu'ils ont laissé sur les Brotteaux...

— J'espère que tu as ramassé.

— Pas mal. J'avais deux paniers. Mais les chiens sont vite arrivés. Et puis, avec cette chaleur, c'est pas la peine de vouloir garder autre chose que du pain.

— Tu me donneras pour les bêtes.

Il mange en silence puis, dès qu'il a posé le bol et la cuillère, il demande :

— T'as les sous ?

La femme se lève et va prendre sur la planche où sont des couvertures deux petits sacs de toile qu'elle apporte. Elle s'accroupit et en donne un à Pataro.

— J'ai fait le compte.

— Fais voir !

Il soupèse les deux sacs et gronde :

— Tu te moques de moi.

— Tu peux compter, si tu trouves un sou de plus dans le mien...

Il l'interrompt. Sa voix cingle :

— De quoi, part à deux ? Non mais... c'est nouveau, ça !

— Aujourd'hui, tes bêtes ont pas travaillé. Et encore, faut les nourrir.

— La règle est la règle ! hurle Pataro. Recompte.

Carré-d'as a un soupir profond qui gonfle sa poitrine. Elle lance à l'infirme un regard de haine. Son visage est tout ridé, ses poings sont crispés comme si elle était vraiment décidée à le frapper. D'une voix presque douce, elle dit :

— T'es une ordure, Pataro.

— Recompte. Tu m'insulteras quand t'auras payé.

Elle verse les deux sacs sur la planche où s'est installé l'infirme. Elle commence à faire trois tas de pièces puis, après un moment de silence, elle soupire :

— Et toi, t'as donc rien ramassé, aujourd'hui ?

— Moi, tu sais très bien que je partage toujours. Et j'ai fait plus que vous trois. Et même beaucoup plus.

Il tire de sa poche son sac de peau bien gonflé et le lance sur la planche.

— Verse avec le reste.

La femme ajoute les pièces aux autres. A la vue des écus d'argent, son regard s'allume.

— Alors ? lance Pataro triomphant.

Elle hoche plusieurs fois la tête avant de murmurer :

— T'es le plus fort, Pataro. Y a pas à dire, t'es le plus fort !

— Tu vas me faire plaisir ?

— J'irai chez toi. Ici, les enfants risquent d'arriver.

Comme la lumière a beaucoup baissé au-dehors et que le feu s'éteint, la femme va chercher un bout de cierge qu'elle allume avec une brindille enflammée par les braises du foyer. Elle vient le poser sur la planche où elle le colle avec quelques gouttes de cire, puis, à genoux devant le tas de pièces, elle se remet à compter tandis que Pataro l'observe. Après un moment, elle demande :

— Crois-tu qu'ils auront leurs deux sous ?

— Non, fait-il l'air serein. Les fabricants sont pas fous.

13

PATARO est rentré chez lui avec son sac de pièces et un panier où Carré-d'as a mis des déchets pour ses bêtes. La première cage qu'il est allé ouvrir est celle où Fluet se trouve seul. Le chat s'est tout de suite précipité sur le panier, mais Pataro l'a empoigné et mis dehors en disant :

— T'as pas de courrier, va faire un tour. Cherche des rats.

Le chat jaune est dehors, contre la porte refermée qu'il flaire en miaulant. Il bondit sur le rebord du soupirail.

A travers l'étroite vitre enfumée, il voit Pataro qui donne des déchets de viande. Tout le monde mange. Même les moineaux et les pigeons qui semblent à moitié endormis. Fluet gratte de la patte et miaule, plus rageur, puis, voyant que Pataro ne regarde même pas dans sa direction, il saute dans la ruelle qu'il suit jusqu'au quai. Là, par habitude, il grimpe sur le premier toit et monte en direction de la prison. Il demeure un bon moment sur la corniche, à l'angle où il s'est assis comme pour contempler le fleuve et la cité illuminée.

Le ciel porte encore, derrière les clochers crêtant la colline, une vague lueur violette, mais les eaux ne reflètent plus guère que les lumières de la ville. Fluet s'accorde le temps de lécher sa patte avant droite et de la passer plusieurs fois derrière son oreille. Ensuite, il bâille puis, lentement, il suit la corniche sur la façade qui domine le bas-port. A la première fenêtre, il entre. La cellule est dans l'obscurité. Une voix sourde murmure :

— J'ai pas entendu de signal.

Le prisonnier s'approche et caresse le chat qui fait le gros dos et se met à ronronner.

— Mais t'as pas ton collier. Tu l'as perdu ? T'as pas de lettre ?

Le chat se frotte contre l'épaule de l'homme qui vient de le prendre pour tenter de regarder vers le bas.

— Est-ce que t'as perdu ma lettre ?

Le chat miaule un petit coup.

— T'as faim ? J'ai rien, moi. J'ai rien à te donner. J'attendais pas de courrier, j'ai rien gardé pour toi.

Comme s'il avait compris, Fluet sort sur la corniche où il hésite un moment entre la droite et la gauche. Finalement, il prend à gauche et va jusqu'à la fenêtre voisine. Se frottant au passage contre le barreau, il entre en miaulant un petit coup. Aussitôt, un homme vient à lui qui se met à palper son cou puis son corps. Une voix rauque grogne :

— Bon Dieu, qu'as-tu fait, chat de malheur ? Tu

as tout perdu, ton collier et mon message. Allez, allez, fous-moi le camp. Va chercher... va vite chercher.

Le chat jaune a visité trois cellules avant d'arriver chez un prisonnier qui le reçoit en riant :

— Toi, tu as du toupet. Tu n'as rien pour moi et tu viens tout de même voir si j'ai à manger. A moins que tu ne viennes par amitié... tiens mon petit. Tiens. Régale-toi. Je n'ai que ça, tu m'excuseras.

Affamé, le messager jaune croque les croûtes de pain sec que l'homme vient de lui donner. Une main très douce le caresse tandis qu'il mange, puis l'accompagne jusqu'à l'instant où il sort.

Cette fois, Fluet n'hésite pas. Prenant à droite, il file d'un trait jusqu'à l'extrémité de la corniche et saute pour débouler le contrefort. Sur le bas-port, il court entre les roches et les buissons jusqu'à la rive où des bruits qu'il connaît lui ont signalé la présence de gens très intéressants.

Une fille et trois garçons pataugent à quelques enjambées de la rive où ils ont laissé deux bassines dans lesquelles on entend des claquements de vie. Fluet s'approche de la première, il lance un regard rapide vers le fleuve puis, se dressant sur ses pattes de derrière, il pose celles de devant sur le rebord de métal qui vibre. Il sort ses griffes et sa patte droite se détend d'un coup, rapide et sûr. Il la retire avec une truite qui s'en va battre les pavés. Le chat est sur elle d'un bond, ses dents bien pointues se plantent dans le dos froid et lisse. Du jus odorant mouille sa langue.

Sa prise en travers de la gueule, un peu gêné dans sa marche, il va se blottir sous le buisson le plus proche. Et là, épiant le rivage entre les feuillages immobiles, il mord à pleines dents cette bonne chair palpitant de vie.

14

L'AUBE est encore loin lorsqu'on cogne à la porte. Pataro se dresse sur un coude. Il hésite mais on frappe de nouveau et le ticlet se soulève.

— Qu'est-ce que c'est ?

— Mataron, le charretier.

— Qu'est-ce que tu m' veux ?

— Te causer.

— De quoi ?

— Ouvre. C'est important. Ce sera bien payé. J' peux pas t' gueuler ça au travers de ta porte.

L'infirme glisse de sa planche et va retirer le pieu qu'il place chaque soir pour barrer sa porte. Tandis que le charretier s'avance dans l'obscurité en traînant son odeur de foin, de fumier et de sueur, l'infirme allume une chandelle.

— Ferme !

L'autre repousse la porte.

— Bloque avec le piquet. On sait pas.

L'homme s'exécute. C'est un petit brun très sec, à visage anguleux et à forte moustache qui lui couvre entièrement la bouche. Pataro pose son lumignon :

— Alors ?

L'autre s'assied sur un billot et sort de sa poche une jolie gourde en métal dont il dévisse le bouchon avant de la tendre à l'infirme.

— Tiens, ça éclaire la comprenette.

Pataro boit une bonne lampée et souffle fort en remerciant. Le charretier boit à son tour puis, ayant refermé la gourde qu'il glisse dans la poche de sa culotte de peau, il dit :

— C'est l' compagnon à Gonon qu'est venu me trouver. Y m'a dit : Mataron, toi, tu vas chercher d' la paille dans les fermes. Tu peux passer. J'ai dit : Tout le monde peut passer. Y me dit : Pas tout le monde à première heure sans se faire remarquer. Ça, c'est vrai, que j'y ai dit...

— Et alors ? lance Pataro que ces lenteurs exaspèrent.

— Alors, ben c'est que la garde en a arrêté cinq. Et qui sont à la prison.

— Qui ça ?

— Justement, j' les connais tous. Et pis toi de même.

— Qui ?

Le charretier hoche la tête et soupire :

— T'énerve pas. C'est Gonon, l' maître imprimeur qu'aurait fait des affiches séditieuses, qu'ils disent. C'est le colporteur Charvet qui serait je sais pas comment ils appellent ça... d' la sédition. Après, y a maître Mathelon le tisserand, Ferdinand Monneret, et pis l'autre, je sais pas si tu vois qui c'est, c'est un Piémontais, le grand Darnito.

— Je vois. Ils les ont pris quand ?

— Charvet, ils l'ont cueilli l' premier à la sortie de ville en direction de Bourg. Gonon, y sont allés chez lui. Les trois autres, ils les ont pris en pleine nuit. Y a pas bien du temps.

Un silence passe. La flamme du bout de chandelle se couche chaque fois que le charretier souffle. Dans la caisse à roulettes, les rats et les chats remuent.

— Comment que tu le sais déjà ?

Le charretier prend un air effrayé. Baissant le ton :

— Ben, mon pauvre vieux, ça bouge rudement de l'autre côté. Ça va faire du vilain, tu peux m'en croire. Quand y m'ont demandé ça, j'ai dit : C'est sûr que j' vas passer le pont. Et même que j' suis pas certain de revenir ce soir.

— T'as la trouille ?

— Y a rien d' bon à ramasser dans un fourbi comme ça. Ma foi, j' te préviens. C'est déjà un gros risque d'avoir laissé mes chevaux pour venir jusque-là. Si on te questionne : j'avais du vieux pain pour tes bêtes.

— Et qu'est-ce que tu veux que je fasse ?

— Moi, rien.

Il soulève son chapeau de toile brune pour gratter son crâne blanc où serpentent quelques mèches grises collées par la sueur. Il cherche ses mots et baisse encore le ton pour ajouter :

— Faudrait que tu passes. Toi, tu risques rien. Le compagnon à l'imprimeur te donnerait des messages pour les prisonniers.

Sans hésiter, Pataro promet :

— J' passerai. Mais à mon heure. Comme d'habitude. Moi non plus, j' veux pas prendre de risques... J' suis pour rien dans tout ça, tu comprends !

Pataro a élevé le ton. Assis sur son billot, l'autre ne sait plus très bien quoi faire de ses grosses mains. Il se tasse. Se voûte un peu. Il finit par sortir de sa poche une vessie de porc et une pipe.

— Veux-tu prendre une chique ?

Pataro puise avec sa pince dans la blague que l'autre lui tend. Se couchant à demi sur le côté, il renverse la tête en arrière et ouvre grand la bouche pour y laisser tomber le tabac. Le charretier bourre une courte pipe qu'il allume avec un copeau ramassé par terre et enflamme à la chandelle. Il tire trois bouffées.

— Moi, j' sais pas lire. Seulement, leur affiche, Boulardon me l'a lue. Ben je peux t' dire que c'était pas rien.

— Je sais. J' la connais.

Gravement, avec un hochement de tête qui n'en finit plus, Mataron gémit :

— C'était la guerre. Ni plus ni moins. Boulardon, tu sais, c'est le fils du notaire. J' lui livre du foin. C'est un instruit. Y m'a dit : Jamais des ouvriers ont parlé sur ce ton. Jamais !... Et j' crois bien que c'est la vérité.

Il se tourne vers le vasistas dont la vitre sale commence à annoncer le jour.

— V'là que ça pointe, mon gone. M'en vas

aller. Si on voit mes chevaux, on peut se demander ce que je trafique si longtemps.

— Tu diras que t'as posé culotte.

Le charretier ouvre la porte en riant. Puis, soudain sombre, il se retourne pour lancer, d'une voix qui étonne :

— Les laisse pas tomber, Pataro. C'est des bonnes gens... Et puis...

Il fait un pas, s'arrête et se retourne encore. Il parle comme si ce qu'il avait à dire était terrible :

— Tu sais, ces gens-là, c'est pas des ingrats. Y sauront te l' dire.

Et il sort très vite en tirant la porte.

15

— FAUT que j' traverse, j' te dis.

— Va donc, j' te retiens pas.

Carré-d'as parle durement à Pataro étonné qu'elle ose ainsi hausser le ton.

Ils sont dehors, près de la demeure de l'infirme qui a déjà sorti sa caisse à roulettes. Le ciel pétrit des nuées de plomb et de cuivre dans cette aube surprenante. Pas un brin de vent. Le remuement de l'air se fait seulement dans les hauteurs. Tout se déchire comme si les rafales changeaient sans cesse de direction. L'infirme regarde vers la ville avant de lancer :

— Tu vois bien qu'y se passe rien. Faut que j' traverse. Que ce soit comme d'habitude. Va chercher Ratanne.

En parlant, il a saisi de sa pince gauche le bas de la robe, de la droite il frappe le tibia de la femme qui s'écarte en hurlant :

— Salaud ! Tu risquerais la peau de ma fille pour trois sous.

Elle a réussi à le faire lâcher prise et court trois

ou quatre enjambées pour se mettre hors de portée avant de se retourner. Pataro a eu le temps de ramasser une pierre qu'elle reçoit sur le bras.

— Tu paieras cher, vipère !

Elle s'enfuit sans répondre. Dès qu'elle a disparu à l'angle de la ruelle, la colère de Pataro fond d'un coup. Il a seulement un mouvement qui doit être un haussement d'épaules. Lançant un long jet tiré de sa chique, il s'en va en direction du pont où la circulation semble à peu près normale.

— Tout ce qu'on risque, c'est d' se faire rincer.

Pataro a parcouru à peu près la moitié du chemin qui conduit à la chaussée, lorsque la circulation s'arrête. Les charrois venus du centre comme ceux qui y vont libèrent le pont où plus rien ne s'engage. Sont restés, au milieu, trois chariots à planchers chargés seulement de quelques poutres. Les chevaux ont été dételés et viennent d'atteindre la rive droite. A côté des chariots, se tiennent une dizaine d'hommes vêtus de noir et, à gauche comme à droite, une bonne poignée de gardes suisses armés les uns de hallebardes d'apparat, les autres de fusils. Pataro embrasse tout ça d'un regard.

— Pas possible !... pas possible !

Sur l'autre rive, un grand mouvement s'amorce. Les gens de la colline du Labeur descendent et se rassemblent sur le quai. D'abord à l'entrée du pont où une troupe de gardes suisses et de soldats les empêche d'avancer, puis leur masse grossit très vite. Elle couvre le quai et le bas-port en amont et en aval du pont.

Pataro est bientôt rejoint par le peuple des mendiants et des pauvres qui habitent le quartier de la prison. Certains parlent :

— J'ai entendu arriver les juges.

— Moi aussi. Le jour était pas encore là.

— Alors, on juge dans les prisons, à présent. Pas la peine d'avoir un palais pareil !

— Qui te dit qu'ils sont jugés ?

— Et ce qu'on monte, c'est pour faire du guignol, peut-être ?

Tous les regards se portent à présent vers le dos-d'âne du pont. Sur chacun des trois chariots, les hommes en noir sont en train de monter deux potences. C'est une coutume vieille comme la ville que les exécutions aient lieu sur le pont pour que le peuple tout entier puisse aisément jouir du spectacle. Mais habituellement, on monte la potence au cours de la nuit, et les bourreaux officient dès la petite aube. De toute manière, les gens que l'on exécute ont toujours été jugés la veille, pour que le prince ait le temps d'exercer son droit de grâce.

Autour de Pataro, on continue de s'interroger :

— Peuvent pas les pendre comme ça ?

— C'est peut-être pas pour eux.

— Pour qui, alors ?

— Les juges sont même pas sortis de la prison.

— Si, y sont partis. Ça fait plus d'une heure.

— Y voulaient pas les traîner en ville. Le peuple leur fait peur.

Tout le monde parle. Seul Pataro reste silencieux. Il ne parvient pas à détacher son regard de ces six équerres de bois qui se dressent à présent sur le ciel où continuent de se déchirer les nuées de soufre et de suie.

Pataro ne cesse de se répéter : « Mataron m'a dit qu'ils en ont arrêté cinq. J' vois six potences. C'est pas possible. C'est pas pour eux. Y a des bandits dans la prison. »

Sur l'autre rive, ce n'est pas du tout le public habituel des exécutions capitales. C'est une foule beaucoup plus importante, sans cesse en mouvement, d'où partent des cris repris par la multitude.

Et puis, d'un coup, presque le silence. Un attelage vient de déboucher du chemin qui passe derrière les baraques des pauvres pour aller de la prison à la grand-route. Quatre chevaux noirs tirent au petit trot un long chariot.

Aux ridelles à claire-voie sont attachés, mains liées au dos, six hommes en pantalon et chemise, tête nue. On reconnaît tout de suite la haute taille du colporteur d'almanachs et sa crinière blanche qui flotte au vent de la course. Il est le premier à gauche. Pataro le voit de dos.

— J' lui avais dit d' s'en aller.

Les voix se sont tues. Pataro a à peine murmuré et, pourtant, ses voisins l'ont entendu. L'un d'eux souffle :

— Qu'est-ce que tu dis ?

— Rien.

Face au vieux Charvet, c'est le gros cabaretier. Dès que l'infirme le reconnaît, il souffle :

— Hugonnier. C'est Hugonnier. L' gros Hugonnier.

Puis, côté gauche, Gonon, Mathelon, et en face

d'eux Monneret et Darnito le Piémontais. Le cocher et quatre gardes : deux à l'avant, deux à l'arrière.

Sur l'autre rive, le silence s'est fait également. Le roulement des bandages sur les pavés et le trot des chevaux sont énormes dans ce matin lourd et immobile, écrasé par un ciel de plus en plus fiévreux.

Devant le chariot trottent une douzaine de gardes à cheval et autant derrière. Mais c'est seulement après un moment qu'on s'en avise tant cet attelage et son chargement retiennent l'attention.

Les prisonniers sont secoués et, on voit bien que, sans les liens, ils tomberaient. Il semble que le cafetier ait grand-peine à se tenir debout. Sa bedaine qui tressaute le tire en avant comme si elle voulait se jeter contre le colporteur aussi raide qu'un manche de hallebarde.

Le bruit se modifie au moment où le cortège passe la poterne, puis change encore quand il reparaît sur la deuxième arche du pont. L'allure se ralentit. Les bêtes prennent le pas et vont s'arrêter à hauteur du dernier chariot porte-potences.

Au moment précis où les hommes en noir s'avancent et commencent à gravir les marches de l'escalier qu'on vient d'appuyer à l'arrière, un long éclair perce les nuées juste au-dessus de la basilique. C'est comme si la foudre s'était plantée au sommet de la colline des Prières. Le tonnerre déferle sur la cité et emplit le lit du fleuve que la lueur vient d'embraser. Comme en écho à ce grondement, une rumeur sourde monte de la foule. Le centre de la ville et les deux collines grognent.

Mais les exécuteurs n'ont pas pour autant interrompu leur besogne. Ils ont détaché les prisonniers. Deux pour chaque homme; ils les font descendre. Le vieux colporteur en tête, toujours droit. D'ici, on ne peut distinguer ses traits, mais sa démarche dit assez quelle dignité doit se lire sur son visage. Gonon et Mathelon viennent après. Moins raides, le pas assuré.

C'est ensuite le tour des hommes qui se trouvent contre la ridelle de droite, le cafetier en tête.

A l'instant où ceux qui le tiennent sont au bord du plateau pour l'obliger à descendre la première marche, de toute la puissance de son buste, il se livre à une sorte de contorsion. Sa tête frappe derrière l'épaule le bourreau de droite qui tombe du chariot mais parvient à se recevoir sur ses pieds. L'autre s'accroche à sa proie, seulement il n'est pas de taille. Hugonnier le déséquilibre à son tour et part avec lui, sur lui, comme s'il voulait l'écraser. On perçoit d'ici le bruit mou de la chute et une femme lance :

— Ce salaud a sûrement des os brisés !

Les spectateurs sont trop haletants pour crier. Le silence semble au contraire s'épaissir pour laisser entendre les jurons des gardes et les rugissements du cabaretier qui, entravé, fait des efforts énormes pour se relever.

Plusieurs gardes suisses se sont précipités pour aider les hommes en noir, et c'est ce geste contraire aux usages qui déclenche une réaction de la foule. Des deux rives partent des insultes.

Deux coups de foudre se chevauchent juste au-dessus de la cité. Ils roulent à n'en plus finir vers la plaine, ils éveillent l'écho des collines. Toutes les vitres ont pétillé de reflets. Et la lutte continue entre le taureau et les gardes.

Quand on relève le cafetier, son visage est en sang. Il se débat encore et sa rage est telle que deux grands suisses vont valdinguer, l'un contre le parapet, l'autre contre la roue du chariot.

Un coup derrière la nuque fait vaciller cette masse de chair et d'os. A demi assommé, se tordant encore dans les liens qui lui scient la poitrine et entrent dans ses énormes bras, il est hissé sur le premier plateau où se tient déjà le colporteur. Un bourreau lui passe la corde au cou et quatre gaillards solides le maintiennent face au vide, face au bouillonnement du fleuve qu'il ne voit certainement plus.

Les autres prisonniers n'opposent aucune résistance. Alors que le ciel s'éclaire de nouveau à plusieurs reprises et que commencent à tomber des gouttes larges comme des pièces de dix écus, on les conduit à leur place. A peine le dernier, Monneret, se trouve-t-il sous sa potence qu'un roulement de tambour très sourd vient de la poterne. Le premier à être poussé est le cafetier. Puis les autres à peu près en même temps. Comme Darnito gigote au bout de sa corde, un homme en noir pose son pied sur les liens de ses poignets, se tenant à la corde d'une main et au bas de potence de l'autre, il pèse de toute sa force. Les autres remuent à peine. Le poids de Hugonnier est tel que le montant de la potence plie.

Les pendus se balancent encore lorsque le vent, d'une extrême violence, tombe du ciel avec un déluge de grêle lardé d'éclairs.

16

De mémoire d'homme on n'a vu pareille chose. Près d'une heure durant, sans que cesse la foudre qui semble habiter le ciel d'un bord à l'autre, des grêlons gros comme des œufs tombent si serrés que les lueurs des éclairs semblent des étincelles dans un froissement de tulle gris. Le vent vient de partout à la fois. Du ciel, du sol, des arches du pont, des quatre points de l'horizon.

La terre est blanche. Le fleuve bout comme une lessive.

La foule a fui. Les gens par paquets se sont engouffrés partout où une entrée s'ouvrait. Des portes closes ont volé en éclats.

Sur la rive gauche, mendiants, écornifleurs, détrousseurs et vagabonds se sont éparpillés, les uns gagnant les baraques, les autres se réfugiant sous les deux premières arches du pont. Pataro y est arrivé le dernier, traînant sa caisse à roulettes sur les pavés inégaux. Les rafales poussent jusque sur eux des brassées de grêlons qui les obligent à courber l'échine et à se protéger la tête comme ils peuvent. Des femmes et les enfants braillent. Bon nombre de ces gens de misère, de sac et de corde maudissent le prince, les riches, les juges, les gardes suisses et les bourreaux.

— Le ciel se venge.

— L'orage va leur casser leurs vitres et leurs tuiles.

— Les nôtres aussi.

— Nous, on n'a rien qui risque.

— Le ciel, il arrive trop tard.

— La ville sera maudite pour les siècles des siècles !

Une grande colère s'est levée, même chez ceux qui n'ont jamais rien réclamé.

Pataro ne parle toujours pas. Collé contre sa caisse où la grêle bat la charge, il est parmi les mieux abrités.

L'orage dure depuis un bon moment lorsque cent voix s'élèvent :

— Regardez !

— C'en est un !

— C'est le gros !

En dépit de l'averse qui ne ralentit pas, tout le monde veut voir. C'est la bousculade. Pataro pédale lui aussi pour apercevoir, malmené par les remous, un bout de potence se dresser puis se coucher sur l'eau. Une masse de tissu clair tournoie puis disparaît. Quelques instants et c'est fini. Le rideau serré de la grêle efface tout, même les barges noires vers lesquelles se dirigeait le corps.

De retour sous le pont, les gens se mettent à commenter l'événement, la violence du vent, le poids de ce pendu, la chute. Et, comme pour se rassurer, on conclut :

— De toute façon, il était mort.

— Mort ou pas, ficelé comme il était...

— Sûrement mort. Sûrement.

Et puis, aussi soudain qu'il a éclaté, l'orage s'arrête. La grêle ne tombe plus. Le vent s'appuie encore une fois sur la terre couverte de glace et sur les eaux fiévreuses, puis il se hausse et va balayer les restes de nuées. Un large pan de ciel s'ouvre. Grandit. Gagne en luminosité.

Déjà la terre, les eaux, les toitures fument comme un immense incendie. La ville miroite. Les berges ruissellent et on constate que le niveau du fleuve a légèrement monté.

Tous les regards se portent vers le pont de barges comme si chacun espérait que le gros cafetier sorte de l'eau fumante en riant à pleine gorge. Il n'y a rien que le flot qui a soulevé de quelques pouces les lourdes embarcations noires et continue de bouillonner contre cet obstacle qu'il contourne sur les deux rives.

Puis tout le monde s'écarte du pont pour en regarder le sommet.

Cinq pendus immobiles, vêtements collés au corps, dégoulinent de lumière.

La potence du cafetier s'est brisée à sa base. Déjà des gardes ont quitté les poternes et les tours où ils s'étaient réfugiés. Les casques et les armes brillent au soleil. Les bannières trempées et déchirées pendent en serpillières.

C'est seulement lorsqu'il a bien contemplé le pont et surtout les pendus que Pataro se tourne vers la ville. La foule est moins dense sur le quai. Elle n'est plus immobile. Sans doute les tisseurs qui n'avaient pu remonter chez eux au moment où l'orage a éclaté sont-ils en train de gravir la colline. Chacun veut constater les dégâts. Sur le quai et dans les rues du centre, ce sont les bourgeois, les fabricants, les marchands et les fonctionnaires qui examinent les fenêtres sans vitres, les cheminées brisées, les tuiles par milliers jonchant la chaussée.

Mis à part ses croisées, le château du prince ne semble pas avoir trop souffert. Derrière les créneaux, les sentinelles ont déjà repris leur va-et-vient au pied du drapeau qui n'est plus qu'un piteux lambeau d'étoffe blanche.

Sur la colline des Prières, les clochers ne se sont pas effondrés, on peut les dénombrer tous, mais plusieurs ont l'air d'être l'œuvre de dentellières un peu folles. Leur aspect amuse les gens de la rive gauche.

— Si c'est un coup du bon Dieu, non seulement il était en retard, mais il a mal visé.

— Moi, j' crois plutôt qu'il a puni les curés qui sont toujours dans l' coup avec les riches.

Pataro reprend sa caisse à roulettes où ses bêtes s'impatientent, et, sur les pavés que le reste de grêle rend glissants, il se met à tirer en direction de sa demeure.

Arrivé là, il constate qu'il y a peu d'eau chez lui. Il donne la liberté à ses animaux, va ouvrir également à Fluet :

— Allez vous balader. C'est campos pour tout le monde. Après, on verra.

Puis il regagne le bas-port où il se colle contre une dalle, le regard rivé aux pendus.

TROISIÈME PARTIE

La République

17

— Le ciel a vengé les pendus.

Sous l'espèce d'ivresse que semble provoquer la nécessité de réparer les dégâts, on sent percer de la rage. A mots voilés, on laisse entendre que tout n'a pas été dit.

Pour Pataro, pour Ratanne, pour les bêtes comme pour tous les guenilleux du quartier des prisons, le repos a duré quatre jours. Quatre longues journées sans traverser. A rapetasser tant bien que mal les bicoques ravagées par la grêle.

Sur la rive riche, les trois mondes semblent rentrés chacun dans sa coquille. Celui de la Prière sur sa colline, celui du tissage sur l'autre, et, en bas, l'univers des fortunes. Partout, c'est la même musique. Elle qui tient autant de place sous le ciel que l'habituelle rengaine des bistanclaques. Elle est faite du bruit des scies, des masses, marteaux, rabots, varlopes, truelles et autres pics et pelles attelés au déblaiement de la casse et à la réparation des toitures.

Les plus heureux sont les couvreurs et les vitriers. Certains ont embauché un peu partout pour les seconder. Les charretiers aussi sont à leur affaire pour déblayer les gravats puis aller chercher des matériaux jusque dans les carrières de sable en aval, dans les tuileries de la Dombe, dans les scieries de Savoie et du Jura.

On manque de tout. Il faut trouver. Les débrouillards se font marchands. Les courageux entreprennent n'importe quel chantier.

Le quatrième jour, les travaux sont loin d'être terminés, mais Pataro décide tout de même de passer le pont avec Ratanne et sa ménagerie.

— On s' demande d'où viennent les sous, mais y en a. Tout l' monde en trouve. Doit y avoir des bas de laine qui crachent dur.

Des ouvriers sont au travail sur toutes les toitures. Des échelles sont dressées contre toutes les façades. Des équipes de manœuvres en sont encore à charger des tombereaux de débris.

Pataro observe. Il a eu raison de venir. Même si la ville remue autrement que d'habitude, elle remue. Et les gens qui vont et viennent en traversant la place sont aussi généreux que par le passé. Il y a une sorte de fièvre, presque de jubilation chez certains.

Pataro observe, et il écoute. Et, à maintes reprises, il entend répéter :

— Vite enterrés, moins vite oubliés, les condamnés !

Vers le milieu de la journée, une longue maritorne à nez de corbeau qui n'a jamais donné un demi-liard à qui que ce soit vient jusque près de la fontaine. On ne la connaît pas autrement que sous le nom de femme Piot. Elle se penche comme pour laisser tomber une pièce dans la sébile de l'estropié.

— Si tu veux gagner gros, t'as juste à me suivre.

— Avec toi ? Gagner des coups de trique, oui.

— Pas avec moi, avec mon maître.

Elle redresse sa carcasse osseuse et s'éloigne sans se retourner.

— Si on m' cherche, fait Pataro à Ratanne, j' suis chez les sœurs du Bon Pasteur.

Et le voilà parti sur la trace de cette perche à la démarche saccadée. Paquet d'os qu'on s'attend toujours à voir se déglinguer et qu'un vent qu'elle est seule à recevoir redresse miraculeusement à chaque pas mais pousse un peu trop fort, pour qu'un souffle opposé s'en joue à son tour. Pataro finit par dire :

— Drôle de corps !

La femme Piot ne s'engage pas dans la rue de la Maréchalerie où elle demeure avec son maître. Elle prend par une traboule étroite que Pataro connaît bien. On monte des marches, on en descend d'autres, on traverse trois ruelles et deux cours avant de s'engager dans un passage couvert qui s'élance en pente comme pour gravir la colline des Prières, mais s'arrête à l'ancienne maison du tambour.

Dès le petit escalier, l'infirme est presque pris à la gorge par une forte odeur qui ruisselle comme une eau épaisse sur les marches de pierre usées en cuvette. La grande bringue ouvre une lourde porte de bois clouté dont la serrure fonctionne avec un jeu de trois clés.

— Entre !

Pataro se glisse par l'entrebâillement dans une pénombre qui sent plus fort encore. La femme referme, toujours avec ses trois clés.

— Avance !

L'éclopé se dirige vers la seule source de clarté et débouche dans une salle basse voûtée en plein cintre, éclairée seulement par sept cierges alignés sur une longue table qui va d'un pilier à l'autre. Sept chaises à haut dossier de bois sculpté. Par terre, à droite et à gauche, des vases de fonte ajourés d'où sort cette fumée à l'odeur entêtante. Derrière une porte basse ouvrant sur la droite, un murmure de voix.

— Ce sera pas long.

La femme Piot se dirige vers cette porte basse contre laquelle son poing maigre cogne trois fois. Bruit de clés. La porte s'ouvre et paraît Fidel Charrier que Pataro connaît pour l'avoir souvent croisé dans les rues.

L'homme est petit, assez large d'épaules, un peu

voûté, avec des bras courts. Aussi chauve que Pataro, il a un front immense, très incliné, une pente qui semble prolonger celle d'un nez pointu et mince, aux narines pincées. Sa bouche sans lèvres est un croissant sombre dessiné à même sa peau bilieuse, les pointes tristement tournées vers le bas. Des yeux très noirs, extrêmement mobiles dont le regard semble ne jamais pouvoir se fixer nulle part. On croirait son corps habité d'une multitude de ressorts.

Les bras emmanchés de mains épaisses, très blanches, sont déjà en mouvement. La voix tranche l'air comme un outil de métal pas tout à fait aiguisé.

— Pataro, on ne va pas finasser. Il y a pour toi un bon paquet à gagner.

L'infirme s'est adossé à un pilier. Charrier laisse passer le temps d'une réponse qui ne vient pas, puis, se mettant à marcher d'un pas presque convulsif, en long et en large devant la table, il reprend, comme s'il quittait cette terre pour des nuées :

— Tu connais bien du monde. Personne ne se défie ni de toi ni de ceux qui vivent dans ton coin. Tu as vu ce qui se passe. Une grande occasion s'offre de libérer la cité de la férule du prince. Vous allez nous aider... Je te le répète, vous serez largement payés.

Il s'arrête soudain. La flamme des cierges que ses déplacements avaient remuée se stabilise. Le regard fou se plante une ou deux secondes dans l'œil de Pataro.

— Es-tu disposé à nous épauler ?

— Je peux essayer.

Les bras qui s'étaient croisés se décroisent. Une main triture nerveusement la large lavallière blanche nouée autour d'un cou très court, elle plonge dans une poche d'où elle tire une grosse bourse de cuir rouge à lacet noir. La bourse se balance trois fois, puis les doigts s'ouvrent et elle vient glisser sur les dalles devant l'infirme.

— Soupèse !

Pataro s'exécute et hoche la tête tandis que sa pince fait disparaître la bourse dans sa grande poche ventrale.

— Pour l'heure, Pataro, je te demande une seule chose : du monde. Beaucoup de monde !

Un tremblement le secoue tandis qu'il reprend, exactement comme s'il s'adressait au peuple assemblé :

— Tu connais la Grand-Place, au sommet de la colline du Labeur. Je la veux noire de monde, Pataro. Tu m'entends : noire de monde. Demain. A huit heures du matin... Il faut les prévenir tous... Tous ceux qui se tuent pour engraisser les riches. Tous les canuts, les ouvriers, les manœuvres, les maçons, les commis de toutes sortes. Nous mettrons fin à leur misère...

Il s'interrompt soudain et semble revenir d'une autre planète. Son regard tombe sur Pataro. Il reflète un grand étonnement. Sa voix qui avait atteint d'étranges sonorités aiguës retombe. Presque sourdement, il dit en se dirigeant vers le couloir où s'est retirée la femme Piot :

— Pataro, tu m'entends : noire de monde !

Il fait demi-tour. Tandis que la femme Piot sort ses trois clés pour ouvrir la porte, Pataro entend le pas nerveux de Fidel Charrier s'éloigner en claquant sec sur les dalles.

18

JAMAIS les gardes suisses affectés au péage n'avaient vu si grand nombre de guenilleux qu'il en passe cet après-midi. Mais les gardes suisses ne sont pas là pour se poser des questions. Ils sont là seulement pour encaisser. Ils encaissent. Que Pataro ait fait un aller et retour de plus que les autres jours n'est pas non plus pour les inquiéter.

Alors, les gueux défilent. Boitant, béquillant, traînant leurs membres tordus ou amputés, les uns avec une oreille arrachée, le visage balafré, un œil crevé, les autres avec, à chaque mouvement, un gémissement de douleur. Tout le monde a trouvé de quoi payer la taxe. Ils passent le pont puis, une fois sur la rive droite, ils grimpent au flanc de la colline du Labeur, descendent vers le bas-port, gagnent les ateliers de sciage, de ferronnerie, de poterie, de taille de pierre. Ils se répartissent sur les chantiers de construction, sous les hangars où l'on monte les coques des bateaux.

Tout ce qui, dans cette ville et les terres qui

l'entourent, verse sa sueur pour quelques liards la journée va recevoir leur visite.

— Demain matin, huit heures, sur la place au sommet de la colline du Labeur.

Si on les questionne, ils n'en savent pas plus. Rien à ajouter qu'un tout petit soupir :

— Deux sous... Deux sous... Paraît que ce sera beaucoup plus que ça !

A mesure que les heures passent et que les visites se multiplient, tous ces traîne-misère éprouvent le sentiment d'être les messagers du bonheur. Ceux qu'ils vont voir doivent le penser aussi. Infiniment pauvres, presque tous trouvent une pièce à leur glisser.

Dans cette ville qui porte encore les traces de l'incroyable orage qui l'a frappée, où le souvenir des pendus demeure dans les consciences comme une blessure, quelque chose se passe aujourd'hui qui remue les tréfonds.

Pataro, après avoir lancé ce vaste mouvement, a regagné la place où Ratanne est restée avec les bêtes. Lui n'a pas à courir. Il se borne à informer ceux qui viennent jusqu'à lui. Les portefaix surtout, quelques saute-ruisseau. Et il n'en dit pas plus que les autres.

On croirait que quelque chose le tourmente. Il ne tient guère en place. Il s'énerve.

Ratanne l'observe, étonnée mais discrète.

Le soleil est déjà bas lorsque l'estropié annonce sèchement :

— Faut que j'aille.

Et il part en patalant entre les chars et les piétons.

Ruelles, traboules, placettes, escaliers, il arrive devant la maison du juge Combras. Il s'arrête sous le porche sombre d'où il peut observer la porte de la cuisine et la fenêtre voisine défendue par six énormes barreaux. La lueur du feu se devine à travers les vitres. Une ombre passe plusieurs fois. Pataro soupire. Son regard monte vers les autres fenêtres. Un pas sonne dans la traboule qui conduit directement à la rue. L'infirme se retire dans l'ombre. Une petite femme au visage chafouin paraît. Elle heurte la porte d'honneur qui s'ouvre aussitôt. Elle entre. Lourdement, la porte se referme.

Pataro soupire encore, puis il s'en va.

19

PATARO a traversé plus tôt que d'habitude. Au retour, il a laissé Ratanne à la sortie du pont. Adossée à la margelle, la petite a sa sébile devant elle, mais ce n'est pas tellement pour mendier. Les rouliers, les voyageurs à cheval ou en voiture ne vont pas mettre pied à terre pour lui donner une pièce. Quant aux voyageurs à pied, ils n'ont guère le temps de délier leur bourse. La sébile est là pour la forme. La petite guette le retour des gens que Pataro a chargés des messages. Chaque fois qu'il en passe, elle ordonne :

— Faut voir Pataro.

Et presque tous ont une réponse brève :

— Salaud !

— J' m'en doutais !

— Ah ! La vache !

Et pourtant, tous prennent la ruelle crasseuse qui conduit à la cave de l'infirme. Ils n'ont même pas à descendre. Pataro s'est installé à l'entrée. En haut de la rampe.

— Alors ?
— C'est fait.
— Qui tu as vu ?
— J'ai vu untel et untel.
— Combien t'as touché ?

Tous ont le même grognement. Certains mâchonnent des insultes :

— Ordure, voleur.

Le déglingué les laisse maugréer. Tendant une bourse, il se borne à dire :

— Bave si tu veux, mais crache tout de même.

A une femme qui fait demi-tour sans même un mot, il lance une pierre. Touchée entre les omoplates, elle se retourne, des larmes de rage dans les yeux. Maigre et ridée, encore belle. Avant qu'elle ait le temps de souffler mot, Pataro dit calmement :

— Quand t'auras faim, tu viendras.

Elle approche et laisse tomber trois pièces dans la bourse déjà lourde. Puis elle s'en va très vite, les dents serrées sur un sanglot.

Dès que le dernier est rentré, Pataro s'enfonce dans l'ombre de son trou. Il barre solidement sa porte.

Son œil pétille à la lueur du bout de chandelle qu'il a allumé. Les pièces s'empilent sur sa planche. Quand il a fini, il les contemple un bon moment avant de les remettre dans les bourses qu'il cache sous sa couche.

Ses deux grosses chattes grises assises côte à côte n'ont cessé de l'observer, suivant chacun de ses gestes. Comptant avec lui. Dès qu'il se couche, elles viennent se blottir dans le creux que forme son corps recroquevillé sur le bois où il a étendu de la paille.

20

DÈS avant huit heures, ils étaient là, des milliers.

Une foule grise et brune avec çà et là quelques taches de bleu. Les couleurs du travail. De la peine. Pas du tout le gris perle des vêtements que portent souvent les hommes de loi ou les marchands en déplacement. Pas du tout le brun chaud à reflets de feu dont se vêtent les riches changeurs. Pas non plus le bleu nuit festonné d'or et d'argent que sont si fiers d'arborer les gens de la haute. Uniquement des couleurs ternes, délavées, passées par le soleil, la pluie, la sueur qui laisse en séchant ces auréoles de sel, marque des grandes fatigues.

Ils sont venus très tôt, seuls ou par petits groupes, en se méfiant. Ils ont rasé les murs et emprunté les traboules que les gardes, presque tous étrangers, ne peuvent connaître. Et c'est seulement en se rejoignant, en approchant de la place, en constatant leur nombre qu'ils ont osé se montrer vraiment.

A présent, le coude-à-coude les rassure. Les premiers arrivés ont commencé par se compter. Il n'en est plus question. Ils sont une masse compacte qui chasse la peur vers les rues vides.

Peu de femmes. Certains hommes regrettent de les avoir laissées au logis.

— Elles feraient nombre.

— Elles risqueraient pas plus ici que toutes seules chez nous.

— Où c'est qu'on les mettrait ?

C'est vrai : la place est pleine. Elle regorge. Le monde se presse dans l'estuaire de toutes les rues adjacentes dont chacune est un affluent. La crue fait refluer les eaux.

Sur le flanc ouest de ce vaste rectangle, se dresse une maison de trois étages où sont les plus anciens ateliers de tissage. Sans que nulle indication ait été donnée, c'est vers cette façade baignée de soleil que se portent tous les regards. On murmure que Charrier s'y trouve déjà.

Au deuxième étage, de temps en temps, un rideau s'écarte à peine. La rumeur, à chaque fois, monte et déferle :

— Il est là !

— Y va parler.

— Je l'ai vu.

On le connaît sans bien savoir qui il est. Il a beaucoup parcouru l'Europe pour le compte de plusieurs marchands de soieries. On dit qu'il est allé à Paris, à Berlin, à Rome. Qu'il a participé à des soulèvements ouvriers, à des révoltes. Il sait mieux que personne ce qu'il faut dire et entreprendre pour obtenir ce que l'on vous refuse. Il a fondé une société secrète. Nul ne sait rien de cette compagnie, et c'est bien normal puisqu'elle est secrète. Mais on la sait toute-puissante. Riche d'idées nouvelles et peut-être même d'argent, ce qui n'est pas mal pour faire avancer les idées.

Aussi les canuts ne sont-ils pas les seuls sur cette place. Depuis les cultivateurs des oliveraies et des vergers de mûriers jusqu'aux hommes d'écriture en passant par tous les corps de métier du bâtiment, des transports, de la navigation, de la pêcherie, de l'alimentation comme du tissage, ils sont là.

Ceux qui se trouvent en lisière de la place se haussent sur le rebord des fenêtres pour avoir une vision d'ensemble.

— On est sacrément en nombre !

On les sent émus d'admiration.

Pataro est venu, lui aussi. Parce qu'il a des amis partout, on lui a réservé une des meilleures places. Dans l'un des immeubles qui forme le côté ouest de l'esplanade, au troisième étage, dans un atelier où sont quatre gros métiers luisants, inertes et silencieux. Une bonne trentaine de personnes se pressent aux trois fenêtres. A celle du centre, installé sur une table, Pataro est comme le prince dans sa loge de l'opéra. Les canuts qui l'entourent, debout derrière lui ou assis sur la table à sa droite et à sa gauche, ne se privent pas de le remarquer.

La joie monte. Elle monte même de cette foule longtemps tendue. A présent, on ose parler et rire.

Et puis, d'un coup, c'est une vague plus forte aussitôt suivie d'un silence qui fait presque peur. A peine un froissement de semelles, quelques toux. Loin de là, des chiens aboient que l'on voudrait pouvoir faire taire. Quelques corbeaux passent en laissant tomber trois croassements qui sont comme un signe.

Une tenture s'est ouverte.

Charrier s'avance et pose ses mains sur l'huisserie de la fenêtre. En retrait, se tiennent des hommes dont les visages ne sont que des taches claires dans l'ombre épaisse. Au-dessus d'eux luisent les bois d'un métier à tisser.

Charrier demeure une bonne minute immobile et silencieux. Pataro est trop éloigné pour suivre son regard, mais le devine en perpétuel mouvement.

La main droite se soulève. La bouche s'ouvre et la voix de métal siffle sur ces milliers de tête comme une lame de faux au ras des épis.

— Mes amis, vous réclamez deux sous... Et moi, je vous dis que vous êtes fous !

Il marque un temps. Laisse s'éteindre un murmure avant de reprendre :

— Vos deux sous, si par miracle on vous les donne et que vous les acceptez, je quitterai cette ville pour n'y plus jamais remettre les pieds... Je me refuse à respirer le même air qu'un peuple de miséreux. Vous êtes des gens de travail, de noblesse... La noblesse des métiers. Des tâches bien faites. Ce n'est pas deux sous, ni quatre, ni huit ou dix que vous devez exiger, c'est le juste partage des bénéfices que les exploiteurs récoltent sur votre dos... Fabricants ? Qu'on me laisse rigoler. Qui fabrique ? Allons, je vous le demande !

Le petit homme lève ses deux bras courts dans un geste qui emporte la clameur.

— C'est nous ! C'est nous !

Des milliers de gosiers hurlent. Le cri monte, emplit la place, se répercute d'une façade à l'autre, déborde et court dans les ruelles, dévale les escaliers et les traboules pour atteindre le bas de la ville où l'inquiétude habite les maisons et les rues.

Dès qu'il s'apaise, Charrier reprend son discours. A mesure qu'il avance, son débit devient plus nerveux. Sa voix charrie à la fois de la rocaille, des casseroles vides et de la vaisselle fêlée. Sa gesticulation emplit le cadre de la fenêtre. Toujours petit, il a l'air immense. On croit que ses bras vont projeter ses mains rondes jusque sur la foule.

Son propos s'est éloigné des deux sous réclamés par les canuts pour s'élargir au monde ouvrier.

— Vous devez vous débarrasser des parasites !

» La vermine vous suce le sang. Votre avenir est dans l'extermination de tous les aristocrates, modérés, égoïstes, agioteurs, accapareurs, usuriers, banquiers, boursicoteurs, ainsi que de la caste sacerdotale fanatique et puante.

Il s'arrête soudain, le geste en suspens. Il demeure figé, comme statufié.

Puis, pareils à une mécanique qu'un déclic remettrait en mouvement, son corps et ses bras reprennent leur danse. A peine plus rauque, sa voix emplit l'espace :

— Vous n'avez rien vu ? Mais vous êtes donc aveugles, travailleurs de cette ville, vous qui savez accomplir tant et tant de prouesses ! Vous n'avez pas perçu ce signe du ciel qui vous lançait l'ordre du soulèvement ?

Un grondement sourd habite la foule que remue un instant une houle.

— Le ciel a parlé. Il vous a crié que si Dieu existe vraiment, il a changé de camp. Dieu n'est plus avec ceux qui vous exploitent depuis des siècles. Il est avec vous ! C'est lui qui armera votre bras justicier. C'est lui qui vous donnera la force d'abattre la tyrannie.

Laissant le mot s'en aller d'écho en écho, il s'empresse de reprendre :

— Dieu ne saurait être avec ceux qui refusent à vos enfants un morceau de pain. Je vous le dis, mes amis que la faim tourmente, cette ville est malade. Elle ne peut être sauvée que par purgation, vomitif, lavement. Il faut purger. Là est le secret !

On se demande comment il peut tant parler sans jamais s'accorder le temps de reprendre son souffle. Il semble qu'un liquide acide soit en pleine ébullition au fond de lui.

— Il ne faut pas que les pendus du pont de pierre soient morts en vain. Nous exécuterons les exploiteurs. Nous jetterons leurs cadavres au fleuve qui charriera ces dépouilles immondes vers les mers épouvantées !

Une halte pour laisser le temps qu'on l'acclame et qu'on l'applaudisse. Et la foule ne s'en prive pas.

Lorsque retombent les échos de tant d'enthousiasme, plus cinglant, le geste plus violent, la voix aigre au bord de la cassure, Charrier hurle :

— Aux armes ! Gens du travail, désarmons la

garde. Et commençons par le pire de tous. Le tyran. Le prince repu en son château.

Là, les cris sont moins nombreux. Il se fait dans la multitude un mouvement où naissent des courants contraires.

Derrière Pataro, une voix sombre dit :

— Il va fort... Il va un peu fort.

Et une autre murmure :

— Tout de même... le prince... c'est autre chose !

21

LE prince n'a rien d'un foudre de guerre. Dès les premiers échos de la sédition, il a fait atteler à six chevaux son plus rapide carrosse et ceux de sa suite.

L'or et les objets précieux ont eu le temps de filer avec lui. Comme il sait que les routes sont encore moins sûres que son propre domaine, il n'a laissé, pour garder son château, qu'une poignée de suisses trop vieux ou trop lourdauds pour se tenir à cheval.

Quelques fabricants, quelques hommes de loi, de gros marchands, une bonne douzaine de prélats ont également fait atteler pour tenter de suivre leur monarque. Mais deux chevaux vont moins vite que six quand ils doivent tirer une lourde charge.

Et puis, bon nombre de valets d'écurie et de cochers se sont joints à la foule pour écouter Charrier. Eux aussi sont payés, comme ils disent, avec une fourche à une dent. Alors, il reste aux possédants, pour préserver leurs biens, la milice bourgeoise.

Les canuts la connaissent bien. C'est un agréable

divertissement, le dimanche matin, que d'aller la voir donner parade sur la place de l'Hôtel-de-Ville, au son de quelques cuivres poussifs.

Le beau monde détale. Empesé de bonnes manières, distingué jusqu'au bout des ongles, engoncé dans une éducation aussi onéreuse que confite en religion, il n'en est plus à se contempler dans un miroir. En voiture, à cheval et même à pied pour les plus accrochés à leurs biens. Ceux-là ont tellement bourré leurs voitures qu'ils ne peuvent plus y prendre place. Les hommes mènent les chevaux par la bride, les femmes suivent comme elles peuvent en retroussant leurs jupons. Certains se sont chargés de fardeaux qu'ils ne pourront pas porter longtemps. Ils les abandonneront au creux des fossés, les cacheront sous des branchages, mais forceront leurs domestiques à poursuivre sans se soulager de rien.

Jamais les routes partant de la cité des Soies n'avaient été arrosées d'autant de sueur. Et quelle sueur !

Pas assez cependant pour empêcher un long nuage de poussière de monter dans le ciel pour noyer bientôt toute la plaine d'une pénombre plâtreuse.

Les cortèges s'étirent. Les gens vont devant eux sans même se demander où les conduit leur frousse.

22

LE discours de Charrier à peine terminé, le cri part en même temps des quatre coins de la place.

— Aux armes !

— Aux armes !

On ne sait quel messager ailé a déjà annoncé le départ du prince et de sa garde, et tout le monde pense aux armes de la milice bourgeoise qui se trouvent à l'hôtel de ville, dans une petite pièce dont la porte ouvre sur le derrière, tout contre la colline du Labeur.

— Aux armes !

— Aux armes !

C'est la ruée. Comme si la place était un lac dont on avait soudain fait sauter les digues, le flot se déverse par toutes les issues. Les rues, les escaliers, les traboules, les passages. On en voit même qui traversent les immeubles en entrant par une fenêtre pour ressortir par une autre. Jamais ne s'est vue pareille cavalcade.

Plus agiles, les enfants ont vite fait de distancer les adultes. Les vieux parmi lesquels sont de nombreux sages essaient vainement de freiner le mouvement. Vouloir s'y opposer serait courir le risque d'être balayé. On n'arrête pas un torrent furieux en plantant quelques piquets.

Les premiers qui atteignent la rue du Puits-Noir s'y trouvent nez à nez avec une poignée de bourgeois à bout de souffle.

Ceux-là ne sont pas partis. Ils sont venus ici par instinct.

On ne sait s'ils sont davantage habités par le courage ou par la peur ; ce qui paraît évident, c'est leur embarras. On leur a assez répété que ces armes leur étaient confiées pour le maintien de l'ordre, la défense de leurs familles et de leurs biens.

Aucun d'eux n'a la clef de la salle. Pas le moindre outil pour forcer la porte ni sans doute de véritable envie de le faire.

Face à ces hommes qu'ils connaissent pour leur avoir souvent livré des pièces de soierie, les enfants ont un moment d'hésitation. Ils se sont arrêtés à deux pas de la porte close. Les autres avancent lentement, gravement. Certains ont eu le temps de revêtir leur uniforme de milicien. Trois d'entre eux ont même le sabre au côté.

Le doyen, Nestor Beauvoisin, l'un des plus riches marchands, fournisseur de la cour, homme grand et mince, visage blême, l'œil dur, lance d'une voix de métal :

— Retournez à vos métiers. Vous n'avez rien à faire ici, bande de gones effrontés !

Les apprentis hésitent, mais à peine le marchand a-t-il parlé que surviennent des adultes. Les premiers, trois Piémontais, aussitôt sortent leurs couteaux. Tout de suite derrière eux débouche le flot qui les pousse. Une détonation claque. Terrible entre ces murs qui se renvoient l'écho. Un des enfants porte les mains à son ventre et se casse en deux avant de bouler sur les pavés.

C'est le signal de la ruée. Nul n'a pu voir quel bourgeois a sorti un pistolet, mais la bataille s'engage tout de suite. A part quelques couteaux et quelques triques, les ouvriers n'ont pas d'armes. Mais ils ont le nombre. La rage. Une violence longtemps contenue et qui explose d'un coup. Elle leur donne une force terrible.

En quelques minutes, la rue du Puits-Noir est à eux. Quatre bourgeois assommés gisent à terre. Quinze autres sont prisonniers. Mains rapidement attachées derrière le dos, ils sont entourés, insultés, couverts de crachats.

Quelques maîtres d'atelier qui ont réussi à se frayer un passage dans la cohue interviennent :

— Pas de brutalités !

— Laissez-les tranquilles !

La porte cloutée vient de céder sous une pression telle que les énormes ferrures ont été arrachées du bois. Il y a là deux cents fusils, autant de sabres et d'épées, de la poudre, des balles. C'est une violente bousculade pour s'en emparer. On s'arrache les gibernes. Quelques coups commencent à pleuvoir ; peut-être la vrai bataille finirait-elle par se livrer ici, mais, soudain, dans la rue, un silence se fait qui étonne et qui gagne pourtant l'intérieur.

La masse d'hommes s'ouvre. Charrier s'avance.

Presque tous le dominent d'au moins une tête, mais il est bien plus grand qu'eux tous réunis. Cinq hommes le suivent. Comme lui, vêtus de noir, portant lavallière de soie blanche. La sueur ruisselle sur le crâne de Charrier luisant et blême comme un galet du fleuve.

Il va jusqu'au centre de la pièce, se retourne :

— La ville est à nous. La République est proclamée !

Une ovation qui fait trembler les murs lui coupe la parole. Il laisse aller. Sa bouche aux lèvres inexistantes est toujours en croissant de tristesse, pointes vers le bas.

Une minute, et il lève la main. Le silence part de lui en cercles concentriques, gagne très vite vers l'extérieur où s'écrasent ceux qui n'ont pu entrer.

— Qu'on commence par apporter ici le cadavre de l'enfant.

Plusieurs voix lancent :

— Pas mort.

— Juste une égratignure.

— Sa mère l'a emporté.

Charrier grimace et ceux qui sont proches de lui l'entendent grogner :

— Dommage !

Mais, se reprenant très vite, il crie :

— L'ordre doit être rétabli si vous voulez que vive notre cité. Je nomme Colon-Grosbois général en chef responsable militaire. C'est lui qui va former la troupe.

Colon-Grosbois, énorme gaillard dans la trentaine, connu ici comme le loup blanc (baryton en titre de l'opéra) n'a jamais tenu d'autre arme que des épées de théâtre, mais sa voix et sa stature en imposent. C'est bien assez pour qu'on lui fasse un triomphe. La foule restée à l'extérieur ignore tout de ce qui se passe dans cette énorme bâtisse. De confiance, elle joint ses acclamations aux hurlements qui jaillissent par toutes les ouvertures.

— Mon ministre du Trésor sera Félicien Josque.

Les cris reprennent, bien différents.

Aux inévitables acclamations se mêlent bon nombre de termes peu flatteurs. On ne se gêne pas pour rappeler que le sieur Josque est considéré par beaucoup comme une crapule d'assez belle envergure. Teneur de comptes, puis changeur, puis banquier sans banque, il a toujours plus ou moins vécu d'expédients. On le dit malin, mais inintelligent. Cependant, l'heure n'est pas à contester les décisions de celui qui s'annonce comme l'ami du peuple et, peut-être, son sauveur. On s'accorde à plaisanter en disant :

— S'il a filouté pour son compte, il saura le faire pour le nôtre ! Dans un monde pareil, seules les crapules s'en sortent !

Déjà deux mouvements s'amorcent. Le politique et le militaire.

Suivi de ceux qu'il a choisis pour le seconder, Charrier s'empare de l'hôtel de ville. Il s'installe dans le bureau du maire. Il lance des ordres qu'on se hâte d'exécuter.

De son côté, le général Colon-Grosbois qui n'a pas encore déniché uniforme à sa taille entraîne ses troupes sur la place. Il fait aligner son monde par compagnies et nomme des capitaines qui désignent leurs lieutenants, lesquels trouvent sergents et caporaux.

Il ne faut pas longtemps pour former une armée !

Cette armée va se lancer à la conquête d'une ville que nul ne défend plus !

Portes barrées et volets clos, les bourgeois qui n'ont pu prendre la fuite se terrent. Ceux qui le peuvent enterrent leur magot. Si la foule ne menait pareil tapage, elle entendrait les coups sourds venus du fond des caves où l'on enfouit de l'or.

23

PATARO n'a pas suivi le mouvement de la foule vers la ville riche.

Descendant par le flanc de la colline du Labeur qui verse vers le fleuve, il s'est hâté de regagner la rive gauche.

Personne au péage. Le pont est libre.

— Libre pour tous.

Les gardes suisses ont déguerpi avec le prince et sa suite.

Carré-d'as qui guettait le retour de son maître se précipite à sa rencontre. Son visage rayonne de joie. Chaque ride est un sourire. Et pourtant, elle l'aborde avec un reproche :

— Faut tout de même que tu sois pas mal détrancané pour aller te foutre dans un pareil charassement !

Et puis, sans lui laisser le temps de répondre, elle questionne :

— Alors ? Ils en ont tué beaucoup ?

Pataro semble inquiet. Son front est plissé et ses sourcils minces font la corne. Carré-d'as ajoute :

— J'ai vu s' dégrober l' prince avec toute sa bande, t'aurais dû voir, si ça cavalait ! Mon vieux, le diable au cul, qu'ils avaient.

Ils sont arrivés près de la première baraque. Pataro éponge d'un revers de bras la sueur qui perle sur son crâne puis, se tournant face à la ville d'où monte une rumeur qui ne ressemble en rien à l'habituel bruit des chantiers et des charrois, il avoue :

— J' pensais pas qu' ça prendrait cette tournure. J' suis pas certain que ce soit bien fameux pour nous.

Carré-d'as semble interloquée. L'infirme laisse tomber :

— C' que t'es conne, tout de même. Qui c'est qui nous fait vivre, nous ?

Trois coups de feu claquent sur l'autre rive. On a l'impression que les détonations n'en finissent plus de grimper au flanc des collines et de traverser le fleuve. D'ici, on ne peut savoir au juste ce qui se passe. On voit des gens courir sur le quai, puis disparaître dans les rues noyées d'ombre. De la fumée monte d'un immeuble. D'autres coups de fusil partent du parc du château. Deux ou trois, puis un feu plus nourri crépite.

Pataro qui vient de parcourir du regard la colline des Prières toute ruisselante de soleil, observe :

— Chez les curés, ça bouge pas.

— Tu parles, y se sont terrés. Là aussi, y a des sous amassés.

— Seulement eux, y savent que le bon Dieu garde leurs magots bien mieux qu'une armée de suisses !

Deux heures passent sans qu'il soit possible de suivre vraiment les événements.

Le pont qui, longtemps, est resté vide, s'anime peu à peu. Des gens à pied s'y engagent.

— Y en a qui se sauvent.

— Faudrait pas qu'il en vienne trop par ici.

Mais ceux qui traversent ne semblent guère se soucier du quartier de la prison, ils suivent la route en direction des plaines de l'est. Presque tous portent des baluchons ficelés à la hâte.

Soudain, c'est un autre bruit. Au triple galop, quatre chevaux attelés à un chariot à ridelles débouche de la rue de l'Opéra et traverse le quai en trombe pour s'engager sur le pont. Les piétons s'écartent en hâte. Le cocher, debout, fait claquer son fouet. Cramponnés aux longerons, six hommes armés. Il faut attendre que l'attelage ait amorcé la descente pour découvrir des gens assis ou couchés sur le plancher. Tout cela bringuebale et tressaute. Bientôt arrive une deuxième voiture que deux gros boulonnais pommelés attelés en flèche tirent au pas. Elle est chargée de caisses, de sacs, de paille et suivie par une bonne trentaine de civils armés.

— Moi, fait Pataro, j' me rentre. Si jamais ça tourne mal par ici, je veux pouvoir libérer mes bêtes avant de m'ensauver.

— T'as raison, je m'en vas rejoindre les gones.

Ils s'enfoncent tous deux entre les masures. D'autres miséreux font comme eux. Plus nombreux sont ceux qui montent vers la route conduisant à la grande entrée de la prison. Avant de quitter Carré-d'as, Pataro se borne à lui conseiller :

— Fais comme les curés, va te cacher. Y a jamais rien de bon à recevoir quand les gens se foutent la torgnole.

Arrivé à l'entrée de sa cave, Pataro s'installe, le dos à la pierre. La ruelle est déserte. D'ici, il ne voit ni la prison, ni la route qui y conduit, ni même le fleuve. Alors il écoute. De l'autre rive dont il n'aperçoit que le haut des collines claquant de lumière sur un ciel d'émail, lui parviennent encore quelques coups de feu et une rumeur où se mêlent des cris et des roulements de bandages ferrés sur les pavés.

De la prison, rien. Ce qui peut s'y passer est étouffé par l'épaisseur des énormes murailles.

Des voitures continuent de rouler. Au bruit qu'elles font, Pataro sait qu'elles passent le pont.

24

PATARO reste prudent. Il passe le plus clair de ses journées sur le bas-port de la rive gauche, à l'ombre de la vorgine touffue d'où il peut observer la ville.

C'est seulement après cinq jours qu'il se décide à traverser. Sur le pont, plus de péage. Des ouvriers en armes ont remplacé aux poternes les gardes suisses. Tous connaissent l'infirme. Un vieux canut lui lance :

— La faim fait sortir le blaireau de son trou.

Pataro s'arrête. Un autre homme demande :

— Veux-tu manger ?

— C'est pas de refus.

On l'invite à entrer dans la petite pièce qui sert de corps de garde et qui se trouve en surplomb côté amont du pont.

— T'es jamais venu là ? demande le vieux tisseur.

— Non.

— Les suisses, c'est pas des partageux.

— A présent, dit un autre, c'est la République, Pataro. Tout est à tout l' monde. T'auras plus besoin d' faire la manche, tu vas être au même plan que les autres.

Ils lui ont donné du pain, du cervelas et du gros vin noir épais. Un gamin d'à peine dix ans qui traîne un fusil deux fois plus long que lui vient d'arriver.

— Est-ce que t'es déjà entré au château ?

— Es-tu braque, le gone ?

— Faut que tu voies ça, Pataro ! Y a plus de grilles. Tout un chacun peut s' payer la visite.

Ils y sont tous allés et se mettent à en parler. A les entendre, ce n'est pas un château que l'on peut voir, mais autant de bâtisses que d'hommes y sont entrés. Ils ne sont pas deux à l'avoir examiné avec le même regard.

Pataro achève son repas et file, heureux de ne pas s'être encombré de sa caisse à roulettes. C'est bien ce qu'il avait prévu : il est évident qu'une journée près de la fontaine avec ses bêtes ne payerait même pas la peine de traîner sa ménagerie jusqu'ici. En revanche, bien des gens qu'il croise lui offrent de vider un pot et de casser une croûte avec eux. L'estropié remercie, se hâtant vers la demeure des princes.

La ville n'a vraiment pas son visage habituel. Très peu de voitures, des chevaux montés par des gens dont on voit au premier coup d'œil qu'ils ont quelque mal à se tenir en selle. Et des piétons par milliers qui vont et viennent, se croisent et se saluent, s'interpellent et rigolent à plein gosier.

D'habitude, on voit deux ou trois personnes debout, accoudées de biais au comptoir des « piedshumides », qui boivent en devisant. Aujourd'hui, on s'y presse, on s'y bouscule, et les plus malins tenanciers de ces petites constructions de planches dressés à l'angle des rues ont déjà trouvé tables et chaises qu'ils ont installées sur la chaussée. Jamais personne n'aurait osé imaginer pareille chose : des gens assis dans les rues, le verre en main, trinquant à la mort des tyrans et à la santé de la République.

Plusieurs canuts appellent Pataro.

— Viens vider un verre, beau gone !

L'infirme ne s'offusque pas. Il a l'habitude que certains le nomment ainsi. C'est un signe à la fois d'amitié et de bonne humeur.

Il s'approche d'une table à pieds tournés et sculptés peints en gris et or. Le plateau est un marbre rose. Un homme quitte une large bergère rembourrée.

— On va t'aider à grimper.

Plusieurs mains hissent Pataro puis poussent le siège contre la table. Jamais le déglingué ne s'est trouvé à pareille fête. On lui verse du vin et on pose devant lui une coupe contenant des grattons bien grillés. Un tisserand nommé Garneret que l'infirme connaît bien s'adresse tout de suite à lui :

— Et toi, qu'est-ce que t'en penses, de cette guillotine ?

— Je viens d'entendre parler d' ça. J' sais pas ce que c'est.

Il y a quelques rires puis un jeune portefaix explique :

— C'est comme un métier à tisser, avec une lame et ça coupe le cou.

Ils sont dix à parler en même temps. A la fin, Garneret, plus gravement, dit :

— Charrier ! il a pas déniché un maître charpentier, pas un compagnon pour la fabriquer.

— Un compagnon qui se respecte refuse toujours de toucher aux bois de justice.

— Le bourreau s'en chargera.

— Il est parti avec le prince, le bourreau.

— Paraît que Charrier en a embauché un autre.

Un grand canut tout noir de peau et maigre comme une échelle lance avec un regard mauvais :

— Un? Vous rigolez. C'est pas un, qu'il a trouvé, c'est au moins dix. Peut-être plus. Ça se bousculait à la porte.

Il y a une longue discussion un peu confuse où chacun donne son sentiment sur le métier de bourreau. Personne ne voudrait de la place. Un très vieil homme dit :

— Mon père était boulanger. Le bourreau se servait chez lui. Il y avait toujours une miche à l'envers, sur l'étal. C'était le pain du bourreau. Pour être certain qu'il en touche pas un autre.

— N'empêche que c'est toujours noir de monde aux exécutions.

Ils se regardent un bon moment en silence. Autour d'eux, passent en se bousculant ceux qui ont fini de boire et ceux qui arrivent. Après un long moment, le plus âgé se décide :

— Monter une potence, c'est à la portée du premier salopard venu. Une guillotine, c'est sûrement une autre affaire... Et puis, vous accepteriez une besogne pareille, vous ?

Son petit œil dur perdu entre les rides fait le tour de la table. Sa question reste sans réponse. Elle est comme répétée par bien des regards interrogateurs.

Un ouvrier teinturier finit par dire en levant ses grosses mains brunes :

— Tout de même, ce serait pour supprimer des gens qui nous exploitent depuis bien du temps.

Tandis que tous les regards se portent vers lui, le vieux canut demande :

— Tu la ferais, toi ?

— J' suis pas charpentier.

— Admettons que tu le sois.

— Ma foi...

— C'est pas une réponse.

Le teinturier hausse les épaules et souffle :

— J' crois pas.

Pataro demeure un bon moment à cette table, puis il reprend son chemin en direction du château. Sur sa gauche, il découvre bientôt le chantier qu'il a entrevu depuis l'autre rive : la démolition du palais de justice.

Des centaines de pioches, de pelles et de brouettes sont à l'œuvre. Bien des badauds sont là, par petits groupes, à regarder ces amas de pierres de grand appareil d'où monte la poussière. L'infirme louvoie entre eux. Il ramasse au passage quelques réflexions :

— C'était tout de même une belle bâtisse !

— Du solide.

— C'est peut-être un peu dommage.

On dirait que les gens redoutent qu'on les entende.

— Tout ça parce que ce Charrier avait été condamné pour dettes.

— Va-t'y faire démolir aussi la prison ?

— Que non, il en a trop besoin ! Paraît qu'on y refuse du monde.

Ceux qui parlent ainsi sont des vieux, ni riches ni vraiment pauvres. Des artisans ou de petits marchands.

Les grilles du parc sont grandes ouvertes. Un monde fou circule. Il n'y a plus ni allées, ni massifs de fleurs, ni herbe verte. Tout est damé, dur comme dalles. De nombreux enfants jouent. Certains grimpent aux arbres. Des bancs ont été brisés. Sur d'autres, des gens mangent. Tous ne sont pas de la ville. On dirait qu'une grande kermesse se tient là qui attire bien des visiteurs.

Parmi les curieux, des hommes en armes. Aucun ne porte d'uniforme, mais presque tous sont coiffés d'un bonnet de toile ou de laine rouge.

Pataro reconnaît ici plusieurs mendiants de son quartier. Ceux qu'il interroge se plaignent. Les gens n'ont guère d'argent à distribuer.

Jamais l'infirme n'avait vu le château d'aussi près. L'étrange construction plaque une ombre lourde sur cette foule bigarrée et bruyante. Pataro réussit à atteindre le pied de l'immense escalier, mais il renonce à monter. La presse est telle qu'il serait piétiné à coup sûr. Il reste encore un moment dans le parc, mais il ne récolte que quelques maigres pièces. Même les étrangers se désintéressent de lui. Ce qui attirait hier encore la compassion semble ne plus surprendre personne. Un de ses voisins plus âgé que lui à qui il manque un bras lui déclare :

— Moi, j'en ai ma claque, de ce fourbi. J' m'en retourne. Des gens qui pensent qu'à voir couper des têtes, qu'est-ce que ça peut leur foutre qu'on nous ait coupé des pattes !

— Et toi, demande Pataro, t'iras les voir couper, les têtes ?

— C'est sûr, que j'y serai. Et je peux te promettre que ce jour-là la monnaie va pleuvoir. Y seront tellement contents...

Et il s'éloigne avec un air de gourmandise.

25

DANS la cité des Soies comme partout ailleurs, en ce temps-là comme toujours, bien des gens ne pensaient qu'à voir tomber des têtes. On en avait assez des potences et des gibets, des roues, des billots, des chevalets, des carcans et des cordes. La soif de progrès gagnait.

Le sieur Charrier n'était pas seul à rêver de justice expéditive et d'exécutions propres. Dans tous les pays de civilisation avancée, il s'agissait d'humaniser la peine capitale.

C'est ainsi qu'apparut une machine extrêmement perfectionnée. Pur produit du génie humain, la guillotine faisait fureur. Ceux qui la fabriquaient arrondissaient assez vite leur fortune. Les commandes pleuvaient de partout.

Celle que Charrier avait commandée arriva par la route, sur un long chariot bâché attelé de quatre grands chevaux noirs. Le cocher était un homme dans la force de l'âge qui allait haut de la gueule en faisant claquer un fouet terrible.

A ses côtés, un officier, mercenaire illettré,

sanguinaire et borné que Charrier avait rencontré au cours de ses voyages et qu'il s'était attaché en promettant de le nommer capitaine.

Cet être-là veillait sur les bois, le couteau et le grand panier d'osier couchés à l'ombre de la bâche brune, comme un évêque sur le saint sacrement. Tout au long du trajet, lui qui avait plus de cent fois mérité la corde ne cessait d'entretenir le conducteur de justice et de peine capitale.

La mort violente était sa seule religion et il ne se sentait plus de joie à l'idée de voir à l'œuvre ce moyen moderne de la donner.

Devant ce sombre équipage, trottaient six cavaliers eux aussi bien armés. Six autres suivaient la voiture à dix pas. Ceux-là étaient des gardes suisses qui n'avaient pu fuir avec l'armée du prince. Habitués à servir qui les payait, ils s'étaient mis sans hésiter au service de Charrier.

Ainsi allait l'étrange attelage à travers terres et villages. Les paysans à l'approche des cavaliers se cachaient pour regarder, par la fente d'une porte de grange, passer ce chariot dont quelque chose de mystérieux les avertissait qu'il emportait la terreur sous sa bâche aux courroies serrées. Et les plus vieux qui avaient vu déferler des guerres murmuraient :

— Ça ne dit rien de bon. Ou bien c'est de l'or, ou bien c'est la mort qu'il emporte sous sa toile.

26

La nouvelle atteint le quartier de la prison vers le milieu de la matinée. Qui l'a lancée ? Nul ne le saura jamais. Mais personne n'en doute un instant et elle court de cahute en baraque :

— La guillotine est sur la place !

Les plus vicieux le crient très fort, sous les hautes murailles, pour que les prisonniers l'entendent.

Très vite, c'est la ruée en direction du pont.

Pataro n'est pas le dernier. Il patale des bras et des jambes et seuls ceux qui peuvent vraiment courir vont plus vite que lui. Quelqu'un lui crie :

— T'as perdu ta ménagerie ?

Il ne se donne pas la peine de répondre. Que pourraient bien faire ses bêtes dans la cohue ?

Dès l'arrivée sur la rive droite, on sent que la foule sera énorme. Chaque maison, chaque allée, chaque traboule apporte sa goutte au fleuve qui déferle. Les gens ont vraiment l'air de se rendre à la fête. Lorsque l'infirme y parvient, la place est déjà bien garnie. Et c'est après avoir essuyé bon nombre de coups de pied qu'il arrive devant une sorte d'estrade en planches montée en face de l'hôtel de ville, pour soutenir la guillotine. Tout autour, un double cordon de gens en armes s'efforce de repousser les curieux. Tous voudraient grimper sur l'estrade et toucher les bois de justice.

— Tu parles d'une machine !

— Si c'est juste ça !

— C'est déjà pas si mal.

— Poussez pas.

— Laissez place aux autres.

— Qui c'est qui l'a fabriquée ?

— Charrier l'a fait venir. On sait pas d'où. Elle est arrivée dans la nuit.

— C'est l' bourreau qui l'a montée avec ses aides.

— Veux-tu voir aussi, Pataro ?

Deux portefaix solides l'empoignent et le soulèvent. Ainsi se trouve-t-il au même niveau que les nombreux enfants perchés sur les épaules des pères. Deux énormes poutres sont dressées. En haut, une autre déborde un peu de chaque côté. Une corde passe par-dessus et retient une masse de métal terne sous laquelle luit un triangle d'acier. En bas, une planche. A côté, un grand panier d'osier où trois hommes au moins pourraient s'allonger.

Pataro regarde tout ça, puis fixe de nouveau le couperet luisant. On dirait que le soleil de cette journée éclatante darde sur ce triangle. Le condamné sera en bas, sur la planche. On détachera la corde et le couteau tombera. Une voix d'homme lance :

— Qui c'est qui veut l'essayer ?

Pendant un moment, les plaisanteries fusent de partout.

De nouveau à terre, Pataro s'éloigne lentement, louvoyant entre les jambes, tirant ici le bas d'une robe, secouant là le pan d'une blouse. Et, comme les soirs où il se rend devant l'opéra, il ramasse pas mal de pièces. Croisant Carré-d'as, il demande :

— J'espère que les gones sont au travail ?

La femme hausse les épaules et grimace en lançant :

— Avec toi, vieille ordure, ce sera jamais la République !

Mais l'infirme se soucie peu de ses insultes. Avant de la laisser aller, il conseille :

— Tâche qu'ils aient fait leur journée, sinon ça va faire mal.

Et sa patte aussi dure que du bois sec cogne un bon coup contre le tibia de la femme.

QUATRIÈME PARTIE

Une tête à couper

27

SUR la grande avenue, le monde est presque aussi nombreux que sur la place de l'Hôtel-de-Ville. Ici, il y a deux courants contraires : ceux qui vont voir le spectacle et ceux qui en reviennent. Avec des interrogations, des réponses brèves, des plaisanteries et d'énormes rigolades.

Pataro comprend vite qu'il y a moins à attendre de ceux qui se hâtent d'aller comme s'ils redoutaient d'être en retard que de ceux qui musardent en revenant. Longeant les façades sur le rivage est de l'avenue, il s'arrête de temps en temps et tend la poche ouverte de sa casaque.

Il vient d'atteindre l'angle de la petite rue des Changeurs lorsqu'il entend son nom venu de l'entrebâillement d'un porche charretier.

Il a reconnu la voix. Il s'arrête. Tout de suite méfiant, il jette un coup d'œil autour de lui. Les gens sont trop à la fête pour s'intéresser à ce qu'il fait. Il approche du lourd battant ferré qui s'ouvre un peu plus. La femme qui le tient se retire le temps qu'il entre et se hâte de refermer.

— Ça fait deux jours que je te guette, Pataro. J' suis allée dix fois sur la place. Tu fais plus rien ?

La vieille servante du juge Combras se tient raide contre le mur. A l'autre bout du porche, une cour assez vaste est inondée de lumière. En son centre, une vasque dans un large massif très fleuri.

— J'ai pas traversé, explique l'infirme. Y a rien à gagner pour moi dans les batailles.

— Tu te trompes, Pataro.

Elle marque un temps. Cette femme n'a guère l'habitude des discours. Elle cherche ses mots et semble un peu à court. Et puis, d'un coup, son visage de vieille nèfle se détend. Elle lance :

— Monsieur le juge, tu l'aimes toujours, cet homme-là ?

Sans hésiter, Pataro répond :

— Y m'a souvent aidé. Pour moi, c'est pas un mauvais homme.

— Sais-tu où il est ?

Il fait non de la tête.

— Pas loin de chez toi.

— Ah !

Il y a un long silence. Pataro hoche la tête pensivement, comme s'il avait du mal à imaginer pareil homme en pareille demeure.

— Est-ce que tu peux lui faire parvenir un message ?

Le cerveau de Pataro travaille très vite. Il demeure silencieux à peine quelques instants avant de lancer :

— Si on y met le prix, j' dois même pouvoir l'aider à sortir.

La servante paraît désarçonnée. Son visage et ses mains se sont mis à trembler.

— Tu... tu crois que... tu...

— C'est à voir.

— Attends une minute.

Elle file en trottinant comme un rat. Dès qu'elle a tourné l'angle du porche, Pataro s'avance vers cette cour où il n'est jamais entré. Cette maison énorme est celle de maître Vuillardier, l'avocat le plus célèbre de la ville. Sur la gauche, s'ouvrent des écuries vides. De la paille et du fumier débordent sur le pavage. L'estropié n'a pas le temps de pousser plus avant son inventaire. La vieille revient et lui fait signe d'avancer.

Il la suit vers une porte qui donne accès à un large vestibule d'entrée au sol de tomettes d'un beau rouge sombre luisant. Les murs gris portent des traces de meubles et de tableaux. La pièce est vide. Quatre femmes se tiennent debout. Deux au milieu de cet espace trop nu, les deux autres devant une porte ouverte qui doit donner accès à un salon. Derrière elles, Pataro voit remuer d'autres personnes.

— Tu me reconnais, mon brave, je suis la femme du juge Combras.

— Oui, madame.

— Tu sais ce qui est arrivé à mon pauvre époux qui t'aime tant et qui t'a toujours protégé ?

L'infirme fait oui de la tête.

— Il faut nous aider, Pataro...

La voix s'étrangle. Elle porte à son visage ses grosses mains qui tiennent chacune un mouchoir blanc brodé. L'autre femme est plus jeune. Mince et très belle. Doucement, mais avec fermeté, elle pousse la femme du juge vers les autres.

— Laissez-nous, mon amie. Laissez-nous.

Elle revient au centre de la pièce.

— Venez !

Pataro la suit vers la porte qui fait face à celle par laquelle vient d'entrer Mme Combras. Comme la vieille servante ébauche un mouvement, d'une voix douce, Mme Vuillardier ordonne :

— Allez vous occuper de votre maîtresse.

Elle laisse entrer Pataro et referme derrière lui. Ils sont dans une petite pièce où il ne reste qu'une commode et une étagère. Des tentures ont été arrachées dont les tringles pendent encore. Trois vitres sont cassées à une fenêtre qui semble donner sur une petite cour.

— Pataro, vous voyez où nous en sommes. Maisons vidées. Bien des gens pendus ou fusillés. D'autres comme le juge et mon mari arrêtés et qui seront exécutés.

Elle se tait un instant. Elle se trouve entre Pataro et la fenêtre. A contre-jour, à travers le tissu léger, on devine son corps. Le regard de Pataro lèche les formes. Un peu de salive coule à la commissure de ses lèvres.

— Nous voulions vous demander de passer

un message, mais il semble que vous puissiez faire mieux ?

L'infirme respire profondément. La femme se déplace. Elle n'est plus à contre-jour. Son visage s'est fermé. Son petit front se plisse sous sa chevelure noire.

— Alors ?

— Je peux essayer. C'est un gros risque pour moi... Je...

Elle l'interrompt :

— Combien ?

— Me faudra payer des complices.

— Combien ?

— Vous n'avez plus rien.

D'une voix tranchante, elle réplique :

— Je vous demande combien vous voulez !

Pataro réfléchit quelques instants.

— Pour l'heure, cinquante livres suffiront. Quand ils seront sortis, je... je vous fais confiance. Ils estimeront combien ils peuvent me donner.

— Attendez une minute.

Pour sortir, elle passe devant la fenêtre. Pataro dévore des yeux ce corps si bien fait.

— Madame !

Elle s'arrête et se retourne. Elle n'est plus éclairée de la même manière. Son œil noir interroge. Elle demande :

— Quoi ?

L'infirme baisse la tête.

— Non, rien, madame. Rien.

Dès que la porte est refermée, Pataro se déplace. Il va partout où elle vient de marcher et flaire le sol comme un chien. Il ferme les yeux. Son visage est comme ravagé par une atroce douleur. Ses pinces grattent le parquet où l'on voit la trace de tapis disparus. De la salive ruisselle sur son menton qui tremble.

28

Dès qu'il sort de la maison de maître Vuillardier, Pataro prend la direction du fleuve. Une fois sur le quai, il descend vers l'aval. Ici, c'est le désert. A part quelques charrois, personne. Des cochers lui crient :

— T'es perdu, Pataro !

— Va donc la voir, cette machine !

— T'as peur pour ta tête ?

L'infirme ne répond rien. Très préoccupé, il va un moment, puis s'arrête et se place le dos contre une façade. D'ici, il voit fort bien la prison que le soleil à son déclin éclaire en plein. Il en fixe la haute muraille un long moment, semble se décider pour rebrousser chemin en direction du pont, puis, soudain, il s'engage dans la rue aux Clefs.

Il y a là de nombreux ateliers de serrurerie et trois forges. Les quatre premières portes sont closes. Dans la cinquième échoppe, un vieil homme barbu est à l'étau, en train de percer une feuille de métal.

— Alors, père Reniard, on a débauché ?

Le vieux se tourne et baisse la tête pour regarder l'infirme par-dessus ses lunettes.

— Tu n'es donc pas au spectacle ?

— Oh, moi, vous savez !

— Je me demande ce qu'on va se mettre sous la dent d'ici huit jours, plus personne ne fait rien.

L'homme reprend sa besogne tandis que l'estropié se déplace lentement entre les tas de ferraille, les grilles commencées et les caisses d'outillage. Son œil vif se lève souvent en direction du serrurier. Sa pince plonge dans une caisse à outils et en retire une forte lime qu'il enfouit dans sa grande poche ventrale. Près d'une autre caisse, il procède de la même manière pour une lime plus petite.

— Travaillez bien, père Reniard. Trouvez l' moyen de vous accommoder de la République. On risque de l'avoir pour une paie !

Pataro sort et prend la direction du quai. Il va lentement. Une fois à l'angle, il tourne à droite mais reste le long des façades.

Depuis la révolte, plus personne n'est en faction près des ruines de l'ancien pont. Le quai n'est toujours parcouru que par quelques voitures, mais l'infirme semble se méfier du ciel comme du fleuve ou des pavés eux-mêmes.

Il attend sans bouger que le crépuscule avance, adossé à la murette du quai, comme s'il s'était endormi, à bout de fatigue.

Enfin, quand l'ombre envahit le bas-port, il y descend lentement. Une fois là, il progresse à l'abri de la vorgine. En face, la prison est encore légèrement frottée de rouge par les dernières lueurs du couchant. Sa haute façade colore le fleuve où la nuit qui semble monter des profondeurs déchire les reflets.

Arrivé dans son trou, l'infirme reste un moment à contempler son trésor. Il y ajoute ce qu'il a gagné et ne garde sur lui que trois livres d'argent. Lorsqu'il a remis son chaudron en place et éteint son bout de cierge, il regagne le bas-port qu'il longe jusqu'à la rampe la plus proche du pont de pierre.

Du centre de la ville lui parviennent des bruits qui témoignent de la vie nouvelle qu'on y mène. Échos d'orchestres, roulements de tambours, quelques cris. Trois ou quatre coups de feu aussi. La colline du Labeur est à peu près muette. Pas un seul bistanclaque n'a repris le travail.

Une fois en haut de la rampe, l'estropié reste un moment immobile, à écouter, puis, avant de prendre la direction du pont, il soupire :

— C'est pas de la petite bière !

29

AUSSITÔT de retour chez lui, Pataro se hâte de nourrir ses bêtes, sauf Fluet qu'il laisse miauler dans sa cage. Puis il sort et gagne le sud du quartier, de l'autre côté de la prison. Il n'y a pas de lune. La nuit est voilée et seule la lueur de quelques étoiles coule de l'est.

Non loin de la berge, Pataro cogne à une porte basse. Il cogne plus fort jusqu'à ce qu'une voix rauque grogne :

— Qu'est-ce que c'est ?

— Pataro ! Ouvre !

Une barre bascule derrière la porte qui s'ouvre sur une obscurité épaisse.

— Qu'est-ce que tu veux ?

— Te faire gagner trois livres d'argent.

— Déconne pas.

— Veux-tu les voir ?

— J'aimerais assez.

— Donne de la lumière.

— Bouge pas.

Bruit de pas. De fer remué. Des étincelles

jaillissent puis une flamme qu'une main fait entrer dans une grosse lanterne de fiacre. La lueur grandit, éclaire le visage émacié d'un petit homme dont la tignasse blanche couvre le front. Son œil sombre se tourne vers Pataro qui avance lentement.

— Montre.

La patte de l'infirme fouille dans sa poche pour en tirer les trois pièces d'argent. Le regard de l'autre pétille.

— Où que t'as piqué ça?

Les pièces disparaissent.

— Va lourder.

Le petit homme qui marche en se dandinant curieusement se hâte vers la porte qu'il pousse et barre solidement.

Le sous-sol est tellement encombré qu'on ne peut y circuler que par quelques étroites allées qui sinuent entre caisses, tonneaux, corbeilles, hottes, outils de toutes sortes, meubles démontés, sièges déformés, roues de voitures, vases de métal, de terre, de verre, vaisselle. Sous la voûte, sont accrochées des échelles de bois où pendent des lanternes, deux fusils, des pioches et cent autres choses. Le petit homme revient et répète :

— Où que t'as piqué ça?

— Écoute-moi, Damarin, j'ai rien piqué. On m'a donné. Tu sauras d'où ça sort si tu marches avec moi. Et je peux te garantir qu'il en tombera pas mal d'autres aussi belles que celles-là.

Comme Damarin semble ébahi, Pataro insiste :

— J' gagne ma vie honnêtement, moi!

Piqué au vif, le petit homme se redresse.

— Qu'est-ce que tu m' chantes, j' suis pas un voleur.

L'estropié émet un curieux sifflement. Du regard et du geste, il désigne l'incroyable amoncellement de matériel qui les entoure.

— Tu sais bien qu' j'ai rien volé de tout ça! Tout du matériel que j'ai trouvé. Les gens ont pas d'ordre. Y laissent tout traîner. J' peux pas voir le désordre, moi, ça me rend malade.

— On va pas se battre là-dessus. Est-ce que tu veux gagner gros?

— Qu'est-ce que t'attends de ton serviteur?

Sans hésiter, Pataro énumère :

— Une longue ficelle. Une longue corde. J'ai deux limes, mais il en faudra d'autres. Un presson. Et puis des grands couteaux.

— Pas compliqué!

— Puis faut que tu m'aides.

— A quoi faire?

— J' t'expliquerai en route. Y a gros à encaisser. C'est tout... C'est oui ou non?

L'autre fait la moue. Son visage déjà mince semble s'allonger. Sa lèvre supérieure monte et son menton pointu suit le mouvement comme s'il voulait rejoindre le nez crochu.

— Et le risque?

— Tu m' connais, si c'était gros risqué, j' m'embarquerais pas.

Ils se séparent. Pataro sort et laisse Damarin préparer son matériel.

La nuit est à peine plus claire. La brume de chaleur que la journée a fait monter du fleuve s'est accrochée à la ville. Pataro ne peut s'empêcher de murmurer :

— J' crois bien que le ciel est pour nous.

Passant sous la façade de la prison, l'infirme marque un temps d'arrêt. Tout en haut, derrière les créneaux, il entend rire et discuter. Ceux qui assurent la garde sont toujours beaucoup plus nombreux que ne l'étaient les suisses. Il n'est pas rare qu'ils montent là-haut de quoi boire et manger. On dit même que des femmes les rejoignent et qu'il s'y passe pas mal de choses que les officiers de l'ancienne garde n'auraient pas tolérées.

Pataro s'arrête, comme soudain frappé d'une idée. Il fait demi-tour et rejoint Damarin qu'il trouve en train de rouler une corde.

— As-tu du papier et une plume ?

— Oui, j'ai ça.

— Alors, toi qui peux écrire, tu vas marquer sur une feuille : « Faut chanter des cantiques. Faut tous chanter, le plus fort que vous pouvez. »

Le petit homme semble incrédule et Pataro sort en ajoutant :

— Fais ce que je te dis. Et apporte le papier.

30

QUAND ils se retrouvent, un moment plus tard, Pataro tient contre lui Fluet qui se frotte en ronronnant, Damarin a traîné son matériel au pied de la haute muraille.

— Cache ça sous les broussailles.

Ils se devinent à peine, tant la nuit est épaisse. On entend toujours brailler au sommet de la forteresse. En contrebas, le froissement des eaux n'est perceptible que pour une oreille qui connaît. A la surface du fleuve, frissonnent quelques reflets des fenêtres de l'autre rive et glissent des bribes de musique.

— Donne déjà la ficelle.

A tâtons, Pataro prend le peloton que Damarin lui tend :

— C'est de la soie ?

— Oui. C'est solide.

— Tant mieux.

— Faut espérer qu'ils comprendront.

— Avec les autres d'avant, j'avais un signal. Ceux-là, y savent pas.

Tout en parlant, l'infirme a fixé la pelote au collier du chat qu'il pose par terre en disant :

— Va... va, mon Fluet, tu vas manger.

Le chat part mais la nuit est trop noire pour qu'il soit possible de le suivre des yeux.

Les deux hommes demeurent immobiles sous les premiers buissons. Ils retiennent leur souffle, l'oreille tendue.

Pas un frôlement.

Puis un tout petit bruit se fait entendre contre les pierres. C'est la bobine qui se dévide en descendant. Damarin s'avance et, la repérant au bruit, il l'empoigne et revient avec en observant :

— Y avait deux fois ce qu'il faut.

— Coupe.

— C'est dommage.

— Coupe, j' te dis.

Un temps passe. Les regards s'habituent, les deux hommes commencent à se deviner l'un l'autre. Ils voient également la haute muraille. Pataro dit :

— C'est la première cellule.

— La plus grande.

— Doivent être au moins trente, là-dedans.

— Au moins.

— Attache le bout de la corde... Est-ce que tu crois pouvoir y attacher la lime et ton papier en même temps ?

— Sûr que oui. Je te jure que c'est du costaud, ce fil-là !

Un moment passe, interminable.

— Dépêche-toi, ça peut se découvrir. On y voit déjà un peu plus clair.

Damarin étouffe un petit rire.

— Tu parles ! En haut, sont déjà tous saouls... Allez, c'est bon.

— Secoue la ficelle.

Damarin agite la ficelle pour lui donner un mouvement de fouet. La houle qui la soulève doit monter comme un reptile le long du mur. Après le troisième appel, la corde et la lime s'élèvent lentement.

— Ils ont pigé.

— A présent, faut laisser le reste des affaires caché là. On va du côté de chez moi. Si jamais y a du grabuge, on se terre et on n'a rien vu.

Ils se retirent sur le sentier, un peu plus loin que le contrefort. Ils y sont à peine que Fluet vient se frotter contre Pataro dont la pince se met à courir sur le poil.

— Ils ont compris tout de même, t'as le ventre bien rond, mon Fluet... Reste là, t'auras sans doute à remonter.

Un long moment s'écoule encore. Damarin remarque :

— Si ces gens-là ont point de lumière y peuvent pas lire mon papier.

Comme une réponse à un ordre lancé, avant même que Pataro réagisse, des voix d'hommes entonnent le Salve Regina.

31

Le chant s'est amplifié. Il a vite gagné toutes les cellules. Du sommet du bâtiment sont venus les échos d'une dispute entre gardes. Damarin a chuchoté :

— Sûr que certains voudraient les faire taire. Doit y en avoir qui sont pas d'accord, à cause que c'est des cantiques. Des mécréants qu'ont peur du bon Dieu !

Pataro et Damarin ont attendu. De loin en loin, l'infirme grogne :

— J' sais pas ce qu'y foutent, bon Dieu de merde !

— T'énerve pas. Du fer, ça se coupe pas comme du boudin.

Enfin, dans cette lueur de la nuit voilée qui semble suinter davantage de la haute muraille que du ciel, apparaît, au niveau de la corniche, une forme claire.

— En v'là un qu'est sorti.

La forme très courte descend rapidement.

— Viens.

Pataro se dirige vers la corde. Damarin hésite un peu avant de se décider à le suivre.

Le prisonnier doit être très leste. Il ne se laisse pas glisser, il descend à longues brassées en se tenant à distance du mur. Sa chemise blanche donne l'impression curieuse qu'il n'a pas de jambes. Dès qu'il touche terre, à peine essoufflé :

— C'est toi, Pataro. On s'en doutait, à cause du chat. Tu me reconnais ?

— Ben oui : le fils à maître Portal, l'huissier de justice.

Le jeune homme s'est accroupi pour se trouver à hauteur de l'estropié. Il désigne du regard Damarin resté légèrement en retrait :

— Qui c'est ?

— Un ami. Tout le fourbi est à lui. La corde et tout.

— Vous n'obligez pas des ingrats... Je suis descendu le premier parce que je suis capable de remonter.

— Remonter ! Vous êtes fou !

— Comment veux-tu qu'on fasse sortir tout notre monde ? Faut bien que quelqu'un donne les instructions. Y en a qui arriveront jamais à prendre la corde.

— S'il y a besoin de parler aux autres cellules, mon chat peut porter des messages.

— En voilà un autre, annonce Damarin.

Portal se relève. L'homme est moins agile que lui. Ses jambes croisées serrent la corde et, quand il déplace ses mains, on voit qu'il redoute de lâcher. Son dos et ses épaules frottent contre les pierres.

— Maître Vuillardier.

L'avocat est grand et fort. Il touche terre et souffle :

— Bonsoir que c'est haut !

Il regarde Pataro et Damarin, se fait expliquer comment l'évasion a été organisée avant de murmurer, très ému :

— Mon épouse... Mon épouse...

Un troisième prisonnier descend, puis un autre. Des marchands de soieries.

Le deuxième, plus âgé et plus lourd, s'est laissé glisser en s'agrippant et s'est brûlé les mains. Comme il gémit, maître Vuillardier le houspille :

— Pensez à la guillotine.

Le gros marchand a un geste machinal pour porter sa main à son cou.

— Qu'est-ce qu'ils attendent ? s'inquiète Portal.

— J' crois que plus personne n'ose se risquer.

— J'ai bien une grande échelle, dit Damarin. Seulement, elle fait pas le quart de cette hauteur.

— Ça leur ferait moins long. Malgré tout, y en a qui voudront pas tenter le coup.

— Pourtant, dit maître Vuillardier, le juge était le plus acharné à partir.

— Il a bien essayé de sortir, explique l'un des marchands. Seulement, la peur du vide, ça se commande pas.

— Faut se laisser basculer pour empoigner la corde. Il a renoncé.

Ils parlent un moment. Chacun a son idée mais aucune ne paraît satisfaisante.

— Traînez pas, répète plusieurs fois Damarin, on va tous y passer.

— Si on s'occupait de ceux des autres cellules ?

— Je fais revenir mon chat.

Pataro s'éloigne du groupe en appelant doucement Fluet.

En haut, les chants sont moins soutenus. Aussi bien derrière les créneaux que dans les cellules, il semble qu'une certaine lassitude commence à peser.

Le ciel reste voilé, mais, par endroits, on devine que la vapeur s'éclaircit. Vers le centre de la ville, seules restent éclairées quelques rares maisons. On a allumé un feu dans le parc du château. Son reflet danse sur les eaux noueuses. Quand Pataro revient avec Fluet, les autres sont en train de regarder aussi vers l'aval.

L'avocat serre les poings.

— Ils doivent brûler la bibliothèque et les archives. Quelle honte !

L'infirme recommence à attacher la bobine de soie au collier de Fluet qui ne se fait pas prier pour grimper par son chemin habituel.

— J'espère que dans la cellule deux, ils comprendront.

— Bien sûr, affirme Vuillardier. Ils savent déjà.

Il faut peu de temps pour que la bobine se

dévide et que Damarin attache une deuxième corde et des limes. Puis il propose :

— J'en ai une autre chez moi. J' vais y aller. Mais j'aimerais bien vous montrer quelque chose, maître Vuillardier. Quelque chose qui peut vous servir.

32

ILS sont là, dans cette cave où Damarin vient d'allumer une lanterne de voiture. L'avocat examine le bric-à-brac sans mot dire, mais avec des hochements de tête et des regards vers Damarin. Désignant les fusils pendus sous la voûte :

— C'est ça, que tu veux me montrer ?

Pataro intervient :

— Non. C'est mieux que ça... Parce que moi, j' peux pas m'empêcher de penser dans ma tête.

Son compagnon s'empresse :

— J'y ai pensé aussi.

L'avocat s'énerve :

— Ne perdons pas de temps.

Damarin empoigne sa lanterne et se dirige vers le fond de sa cave.

— Venez.

Les autres suivent. Le sol monte légèrement si bien que maître Vuillardier doit bientôt courber l'échine pour progresser. Il faut aussi se faufiler entre des tonneaux, des chevalets, un diable, des brouettes et bon nombre d'outils de terrassement et de jardinage.

— Seigneur, quel capharnaüm !

Au fond, la cave est fermée par la roche. Au centre de cette muraille naturelle, une armoire sans portes dont les rayonnages sont surchargés de tout un tas d'objets qui vont de la pince à feu au sucrier en porcelaine en passant par des pièces d'armes anciennes et quelques belles pendulettes.

— Faut m'aider. Juste ces rayons-là.

Se passant les objets, Damarin et l'avocat se mettent à dégager le bas du meuble puis le premier rayon qu'ils enlèvent. Entré à croupetons dans l'armoire, Damarin se met alors à cogner du poing sur un panneau du fond qui sort de ses rainures. De ses deux mains à plat, il le pousse vers la gauche où il disparaît derrière l'autre moitié du meuble.

— Donnez la lumière.

Reprenant sa lanterne, il s'enfonce en disant :

— Venez.

Seul l'avocat le suit. Pataro reste accoudé au rebord de l'armoire et regarde les deux silhouettes.

— Bon Dieu, souffle maître Vuillardier. Mais c'est immense !

— On pourrait y loger une armée.

— Ça alors ! Et où ça donne ?

— Nulle part. On est sous la prison. Dans les anciens temps, y avait un escalier et en haut ça communiquait. On devait y foutre du monde, là-bas y a encore des ossements.

Il marque un temps avant d'ajouter :

— Moi, j'y ai mis du précieux. Mais vous risquez pas d' le trouver.

L'avocat revient, redresse sa haute taille et se passe les mains sur les reins en disant :

— Mais si ça va nulle part...

Pataro se hâte d'intervenir :

— Vous voulez sortir de la ville ?

— Naturellement.

— Par où ?

— Toute la plaine des Brotteaux ne peut pas être gardée.

— C'est sûr, mais vous savez pas où sont les postes.

— Certains d'entre nous seront repris. Beaucoup passeront. C'est une chance à courir.

— Possible, mais le jour sera pas loin. Des cavaliers auront tôt fait de...

L'avocat l'interrompt :

— J'ai vu comment ces gens-là montent à cheval. Et puis, nous perdons notre temps.

Comme il se retourne pour s'en aller, Pataro dit :

— Dommage, par le fleuve ce serait plus sûr.

Maître Vuillardier fait volte-face. La lueur de la lanterne à réflecteur le fait cligner des yeux. Son lourd visage est crispé. Ses gros sourcils bruns se froncent et son front haut se plisse.

— Quoi ? Le fleuve ?

Pataro prend son temps. Très calme, il commence :

— Damarin connaît des bateliers...

Le visage de l'avocat est de plus en plus tendu. Quelques instants de réflexion, puis il dit :

— Même avec ce ciel couvert, on risque de nous voir depuis en face. Ou depuis là-haut.

Il a un geste vers la voûte.

— Pas demain, fait Pataro.

— Quoi, demain ?

— Mes jambes et mes bras m'élancent très fort. Demain, il pleuvra. Et la nuit prochaine aussi.

D'un coup, le visage s'éclaire.

— Oui, oui. Je saisis. Très malin, Pataro. Très malin. On sort cette nuit. Ils nous croient partis par les Brotteaux... Formidable, Pataro. Formidable.

Et il se retourne pour foncer vers la sortie, éclairé par Damarin qui le suit en levant sa lanterne.

33

Les mutilations de Pataro et ses articulations étrangement soudées ne l'ont pas trompé. L'averse est arrivée avant l'aube, juste comme les prisonniers de la quatrième cellule finissaient de descendre.

A la pique du jour, la pluie était bien installée, régulière et serrée, sous un ciel invisible d'où ne ruisselait qu'une clarté glauque.

Les lampes de l'autre rive se devinaient à peine.

Jamais encore la pluie qui est si fréquente sur la ville n'avait à ce point réjoui certains de ses habitants. Les évadés sont trente-quatre, enfermés dans cette cave grande comme une cathédrale, qui prolonge l'antre de Damarin. Ils ont laissé les cordes aux barreaux sciés des deux dernières cellules. Seuls les prisonniers qui ne se sont pas évadés auraient pu les détacher, mais c'était se déclarer complices. Ils sont dix-huit à être restés dans les quatre pièces. Certains ont redouté la chute, d'autres craignaient d'être repris et exécutés sans jugement. Tous ont décidé de dire qu'ils ont refusé l'évasion parce qu'ils accordent leur confiance aux tribunaux mis en place par le nouveau pouvoir.

Pour que ni Pataro ni Damarin ne soient inquiétés, les captifs ont juré de déclarer que cordes et limes avaient été introduites dans la prison avec des complicités dont ils ignorent tout. Apprenant cela, Portal a annoncé :

— Ça va foutre le bordel chez les gardes.

Et maître Vuillardier a répliqué :

— Méfions-nous. Il y a bien des moyens de faire parler des hommes, même résolus.

Damarin n'a pas bronché tant qu'il n'a pas eu fini de refermer et de tout remettre en place. Pataro était avec lui. Une fois le travail terminé, le petit homme a été pris de peur.

— J' reste pas là. Si y savent que les cordes viennent de chez moi, j' suis bon pour leur machine à découper.

— Comment qu'ils le sauraient ?

— Joue pas au plus malin avec ça, Pataro. Si ça se trouve, dans ceux qui sont devenus gardes, y en a qu'étaient en tôle y a trois jours. Ton chat, ils l'ont vu fouailler.

— Mon chat, y penseront jamais qu'il a pu porter une corde et des outils.

— Tiens, mon œil. L'idée que t'as eue, tu te figures que personne d'autre peut l'avoir !

— Tu m'emmerdes !

— M'en cogne. J' préfère m'esbigner. J'ai jamais été homme à prendre des risques.

— Où que tu veux aller ?

— J' sais pas. Pour la journée, j' vais me planquer dans les ruines du vieux pont. A la nuit, si ça se passe bien, j' me débine avec eux en bateau.

— Et ton fourbi ?

Damarin a laissé son regard suivre le faisceau de sa lanterne qui balayait lentement l'intérieur de sa cave. Il s'est attardé sur plusieurs objets. A la fin, il a soupiré :

— J'aurais pas dû t'écouter.

— Y se passera rien... Tu toucheras gros.

Damarin a décroché un des fusils et un sac bourré de cartouches. Dans un autre, il a mis une miche de pain et du lard salé. Puis il a dit :

— Ma foi, à la grâce de Dieu... toi, tu risques rien. Tu t'en fous. Personne oserait jamais te toucher.

— Savoir !

— Si tu veux venir avec moi.

Sans hésiter, l'infirme a répondu :

— Pas question, j'ai mes bêtes.

Alors, Damarin s'est enfoncé dans cette nuit liquide où il a disparu très vite. L'autre a écouté s'éloigner son pas avant de regagner sa propre demeure.

Depuis que le jour est là, Pataro tend l'oreille. Il guette le bruit que les gardes ne manqueront pas de faire en découvrant l'évasion. Il s'est assis sur une grosse pierre qui se trouve juste à l'entrée de son logis, à la limite du sec et du mouillé. Le rideau gris des gouttes souffle vers lui un air froid et humide. Il a libéré ses bêtes et leur a donné à manger, mais toutes sont là, près de lui, à contempler ce jour ruisselant. On dirait qu'elles attendent, comme lui, l'arrivée d'un événement qui secouera cette torpeur humide et son bruit régulier de rivière tranquille.

34

IL y a plus d'une heure que le jour est levé lorsque Pataro perçoit des cris, des appels, bientôt suivis d'une sonnerie de cloches puis, peu après, d'un roulement de tambour. Il ne peut s'empêcher de dire à ses bêtes :

— C'est fait !

Son visage se crispe. Son corps est secoué d'un frisson. Il se soulève à demi comme s'il voulait se déplacer, il retombe, hésite encore et finit par reprendre la même position. Il y a un moment de silence, puis de nouveau des cris et des ordres lancés. Des chevaux galopent sur les pavés. Leur bruit s'éloigne puis reparaît pour prendre bientôt une autre tonalité.

— Y passent le pont.

Il y a quelques minutes de calme, puis des voix plus présentes et des bruits de pas. Les oiseaux se rapprochent de Pataro et trois moineaux se perchent sur ses épaules. Les rats se blottissent sous le tissu de sa camisole et les chattes rentrent au plus obscur de la cave.

Les pas approchent.

— Sont pas fous. Se seraient pas cachés là.

Un voisin demande :

— Qu'est-ce que vous cherchez ?

— T'as vu passer personne ?

— Avec ce temps, y a pas foule.

Des pas tout près. Pataro réprime un frisson. Une ombre devant l'entrée.

— Salut.

— Tiens ! C'est Pataro.

— Qui voulez-vous que ce soit ? C'est chez moi, ici !

— T'es pas sur la place ?

— Avec la pluie.

— T'as vu personne ?

— Non, mais j'ai entendu.

— Quoi donc ?

— Des gens qui couraient sur le bas-port. J'ai cru que c'étaient des gars de chez vous en patrouille.

Trois hommes se sont approchés de celui qui questionne. Les quatre sont armés de fusils et coiffés de bonnets rouges. L'eau ruisselle sur les visages. Pataro les connaît. Deux sont des canuts, un autre est garçon boucher et le plus vieux casseur de pierres. C'est lui qui explique :

— Y a des prisonniers qui se sont évadés. T'as rien vu ?

— D'ici, vous savez...

Et Pataro montre la ruelle étroite sur laquelle donne sa porte.

— Si jamais t'en voyais, gueule !

Les hommes s'éloignent en direction du fleuve et l'un des canuts dit :

— Certain qu'ils ont filé. Par les Brotteaux c'est pas sorcier, surtout avec un temps pareil, les sentinelles devaient s'être rentrées.

— Ça va faire du vilain.

Pataro n'a pas identifié cette voix, mais il reconnaît bien celle du plus âgé des canuts qui répond :

— On sait pas, c'est peut-être pas plus mal.

Il y a une discussion plus vive, les hommes ont dû tourner l'angle de la ruelle et prendre le sentier du bas-port, il n'est plus possible de comprendre ce qu'ils disent.

Quelques minutes plus tard, passe une autre patrouille qui ne s'arrête pas.

— Où allez-vous, par ce temps ? leur crie le déglingué.

Le dernier qui est un jeune apprenti teinturier fait demi-tour.

— J' t'avais pas vu, Pataro.

— J' me tiens à l'abri.

— T'as de la chance. Nous autres, y vont nous poster tout le long du fleuve. Va y avoir une garde jour et nuit. Ordre de tirer sur tout ce qui se montre aux fenêtres de la prison.

Il a l'air tout réjoui et se hâte pour rattraper les autres. Son long fusil lui bondit sur le dos tandis qu'il retient de sa main gauche un sabre où il risquerait de s'entrouper.

Pataro se retire un peu plus dans l'ombre et reste un long moment à réfléchir. A plusieurs reprises, il grogne comme s'il s'adressait à ses rats qui se promènent sur ses épaules :

— Faut qu'y me payent, bon Dieu! Si y sont raccourcis, y payeront pas.

Il y a encore de nombreuses allées et venues, et aussi des passages de voitures sur le pont. Pataro sort pour mieux entendre.

— Ça vient à la prison.

Il se décide à rentrer ses bêtes dans la caisse à roulettes, Fluet dans sa cage.

— Après tout, j'ai bien l' droit de me promener. Même sous la pluie. Si j'aime ça, moi, ça gêne personne.

Il parle à ses animaux et paraît attendre de leur part une approbation.

Il sort. Toujours dans la même tenue. A peine est-il au bout de la ruelle que son crâne nu ruisselle. Son corps osseux semble vouloir percer sa casaque trempée qui lui colle à la peau.

La ruelle est un ruisseau dont il remonte le cours en se tenant le plus loin possible de la rigole centrale où l'eau plus profonde charrie des immondices. Le ciel est bas. Ses grisailles reposent sur les créneaux de la prison.

Lorsque l'infirme débouche sur le chemin boueux qui conduit de la route des Brotteaux à l'entrée de la prison, les chariots ont cessé de circuler. Une des sentinelles en faction devant le porche crie :

— Tu vas fondre, Pataro!

L'infirme prend cette direction et, dès qu'il approche des deux hommes en armes :

— Vous avez le beau temps pour prendre le frais.

— Et toi, tu bats les agottiaux!

— Moi, ça fait deux jours que j'ai plus rien à croûter. Pas plus pour moi qu' pour mes bêtes.

— Entre au corps de garde.

Les deux hommes se tiennent le dos rond chacun sous un bout de bâche grise où la pluie crépite. Ils sont chaussés de sabots à brides. L'infirme s'engage sous le large porche. Le portail est ouvert à deux battants. Les chevaux sont bien venus ici tout à l'heure, il y a encore du crottin fumant.

La cour intérieure est déserte. Une lampe est allumée derrière la petite fenêtre qui ouvre à droite, sous le porche. Pataro s'en approche et se hausse pour regarder par la vitre du bas. Des hommes sont assis sur des bancs, le dos contre le mur. D'autres sont sur des tabourets autour d'une table, à jouer aux cartes. Au fond, le feu flambe dans une haute cheminée dont le linteau de granit rose porte, en son centre, une cassure fraîche qui fait tache. Les armoiries du prince ont été brisées au marteau ici comme au château et sur tous les édifices de la ville où elles avaient été sculptées.

Pataro va jusqu'à la porte et se hausse pour atteindre le ticlet. Il pousse le battant et entre. L'un des hommes assis sur le banc lance tout de suite :

— Aux armes, v'là l' général qui passe!

Quelques hommes se lèvent d'un réflexe, puis tous se mettent à rire et à apostropher l'infirme. Les joueurs reprennent leur partie. Pataro s'approche du banc et demande :

— Y aurait pas un quignon qui traîne par là ?

— T'es donc pas au travail ?

— Paraît que t'es riche, beau gone. Tu devrais être en prison !

— T'as pas bouffé tes rats ?

L'infirme les laisse aller puis, quand ils ont tous lancé leur mot, il dit :

— J'ai rien mangé d'puis deux jours.

Un carrier qu'il connaît pour l'avoir vu décharger des blocs de pierre à tailler sur le port tend sa grosse patte carrée vers une petite porte basse.

— Va voir là-bas, y doit rester des gaudes.

Pataro se hâte vers cette porte tandis qu'on lui crie :

— Attention à ta tête, baisse-toi !

Et l'avertissement fait déferler d'autres rires.

Cette porte donne accès à une pièce en longueur au fond de laquelle flambe une autre cheminée. Tout près du feu, un homme est assis que l'estropié reconnaît tout de suite à sa longue barbe grise et à son éternel bonnet de drap noir qui couvre tout son crâne et descend en queue sur sa nuque. C'est Aristide Vergeron, un très vieux canut qui s'est toujours montré généreux avec les pauvres. Les yeux mi-clos, il tire de petites bouffées d'une longue pipe en terre. Sans lever davantage les paupières ni ébaucher le moindre mouvement, il remarque :

— Te voilà bien gauné, mon Pataro. On dirait quasiment que tu sors de gassouiller dans une lône.

— Y a autant d'eau dans les chemins que dans le fleuve, père Aristide.

— Viens te sécher la pelure et te réchauffer l'intérieur.

Posant sa pipe sur la pierre de l'âtre, il lève le couvercle d'une marmite de fonte. Il remue avec un pochon et, prenant une écuelle de terre, il l'emplit aux trois quarts de cette bouillie de farine de maïs grillée d'où monte une odeur chaude qui fait saliver.

— Les gaudes, Pataro, paraît que ça fait le ventre jaune ! Voilà bien soixante-six ans que j'en mange, j'ai pas vu ma peau changer de couleur.

L'estropié s'installe devant le feu et se met à manger. La bouillie est épaisse. Déjà une légère peau se forme à sa surface fumante.

Aristide Vergeron demande :

— Alors, qu'en dis-tu ?

— C'est bigrement bon...

— Je ne te parle pas des gaudes. Je pense aux événements.

— ...

— T'as bien ta petite idée ?

Pataro avale trois cuillerées avant de tourner la tête pour regarder le visage du vieux que la lueur dansante éclaire par-dessous. L'ombre de la barbe très fournie joue dans les yeux avec le reflet du feu.

— Moi, fait Pataro, j' suis pas tellement pour qu'on se batte. Quand les gens se battent, j' gagne pas gros.

— Ben moi, j' gagne plus rien. Et j' suis pas l' seul.

En disant cela, le vieux tisseur a lancé un regard en direction de la porte que Pataro n'a pas refermée. Il se lève, rallume sa pipe et va pousser le lourd battant de chêne. De retour près du feu, il demande :

— En veux-tu encore ?

Pataro tend son écuelle. Dès qu'il a fini de la remplir, au lieu de reprendre sa place, le barbu s'assied de biais sur la pierre de l'âtre, le dos contre le jambage de la cheminée. Il se met à raconter que des prisonniers ont réussi à s'évader et conclut :

— Veux-tu que j' te dise ? Ben, quand j' l'ai appris, ça m'a fait plutôt plaisir. Y avait dans le tas des crapules, mais aussi des marchands avec qui j' me suis toujours pas trop mal accordé. Le malheur, c'est que Charrier en a fait arrêter d'autres. Il les fera raccourcir sans se gêner. Et ils en arrêteront encore.

Il hésite. Lorgne vers la porte et se décide à ajouter :

— On demandait deux sous de plus sur les façons, mais on n'a jamais demandé la mort de personne.

L'infirme approuve et le vieux dit encore :

— Je le pense vraiment, mon petit. Et je crois bien que j' suis pas tout seul.

35

— VEUX-TU gagner un écu d'argent ?

Pataro vient d'entrer chez Carré-d'as. La femme est accroupie à côté d'un feu qui charbonne entre deux pavés dans l'angle du mur. L'eau ruisselle contre les pierres noircies. Ratanne qui se tient de l'autre côté du feu répond plus vite que sa mère :

— Moi, j' veux !

Pataro semble réfléchir. Avant qu'il ait le temps de réagir, la femme lance :

— D'accord.

— Au fond, la gosse, ce serait pas plus mal.

Se tournant vers Ratanne, il demande :

— Dans les ruines de la pile, tu vois où se trouve le trou où Damarin allait chasser les couleuvres ?

— C'est sûr. Il y va toujours.

— Non, il a tout bouffé. Y en a plus une seule. Tu vas y aller. Tu lui dis que je l'attends chez lui. Puis tu y viens avec lui.

L'enfant paraît vraiment étonnée.

— Pour ça, j' vais gagner un écu d'argent ?

— Non. Après, t'auras autre chose à faire.

— Quoi ?

— Tu l' sauras quand Damarin sera là.

Comme il se dirige vers la porte, Carré-d'as vient se planter sur son chemin.

— Tu vas pas la faire risquer. J'aime mieux y aller, moi je...

Elle n'achève pas. Un coup violent sur la jambe lui arrache un cri.

— Laisse passer !

— Salaud !

— Gueule toujours.

L'enfant lance un regard infiniment triste à sa mère, mais suit Pataro qui ne se retourne même pas pour s'assurer de sa présence.

La pluie n'a pas diminué d'intensité et ils vont dans un bourbier sillonné de ruissellements. Dès qu'ils débouchent sur le bas-port, ils devinent dans la grisaille que commencent à travailler quelques souffles venus de l'ouest les silhouettes des gardes postés de cent pas en cent pas sur la rive du fleuve.

— Vont pas me tirer dessus ?

— Sont pas là pour toi. Si y te demandent où tu vas, tu dis : chercher du pain.

— Du pain ?

— Oui, il en a, Damarin.

La petite s'éloigne en marchant le plus loin possible des hommes en faction.

Pataro n'a pas attendu bien longtemps. Il s'est tenu dans la cave à Damarin, légèrement en retrait de la porte qu'il a laissée grande ouverte. Le petit homme ruisselant entre suivi de l'enfant. Il paraît hors de lui, mais sa peur des gens en armes l'oblige tout de même à s'exprimer à voix basse.

— T'es pas fou ! me faire sortir...

— Tais-toi !

Le regard de l'estropié beaucoup plus que son ordre impose silence à l'autre qui se borne à grogner :

— J'ai été obligé d' laisser mon fusil et mes munitions...

— T'as bien fait... Toi, Ratanne, tu restes à la porte. Si n'importe qui approche, tu tousses.

Elle approuve de la tête et s'adosse au chambranle tandis que les deux hommes gagnent le fond de la pièce. Ils n'ont pas pris de lanterne et c'est à tâtons que Damarin déblaie le fourbi et déplace les planches. La cave où sont les captifs évadés est plongée dans l'obscurité la plus totale.

— C'est nous, dit Pataro. Vous avez plus de bougies ?

— Si, mais on a éteint en entendant du bruit. C'est l'heure ?

— Non. Est-ce que maître Vuillardier peut venir ?

Un homme dont on devine à peine le déplacement s'écarte et laisse passer l'avocat très gêné par sa haute taille et son embonpoint.

Avant même de se redresser, il demande :

— Quelle heure ?

— A peu près dix heures, fait Pataro.

— Il me semblait bien. Que se passe-t-il ?

Très rapidement, l'infirme raconte ce qu'il a

appris. Il ignore le nombre de personnes emprisonnées, mais sait que les arrestations se poursuivent et qu'on ne tardera pas à faire fonctionner la guillotine. Il parle aussi des factionnaires qui resteront sur place jour et nuit.

On y voit à peine dans ce fond d'ombre, mais assez pour que Pataro remarque les traits de l'avocat qui se sont contractés. Tandis que sa lèvre inférieure monte mordre la lèvre supérieure, son poing droit frappe l'intérieur de sa main gauche. Rageur, il lance entre ses dents :

— Reste plus qu'à se battre.

Les autres demeurent bouche cousue et il ajoute :

— A la nuit, on sort, on rampe, on tue les sentinelles pour avoir des fusils...

Pataro le laisse d'abord expliquer ce qu'il espère faire pour délivrer les autres prisonniers, puis :

— J' pense qu'y a sûrement autre chose.

— Quoi ?

L'infirme raconte sa visite à la prison et répète les paroles du vieux canut. Quand il achève, un silence lourd s'installe. Maître Vuillardier réfléchit un bon moment avant de risquer :

— Crois-tu que ce vieux viendrait ici ?

— Pourquoi pas ?

— Tu peux le faire prévenir ?

— Je peux.

— Et tu es sûr de lui ?

— Y viendra me voir... c'est tout.

L'avocat reste perplexe. Sa grosse tête qui semble soudain peser davantage tombe en avant. Son menton se gonfle. Il ferme les yeux quelques instants puis les ouvre et relève la tête.

— Va !

Pataro file dans le dédale noyé de pénombre. Arrivé à la porte, il jette un coup d'œil au-dehors, puis, très vite, il explique à Ratanne ce qu'elle doit faire. Et il répète trois fois :

— Tu y vas parce que je t'ai dit qu'y reste des gaudes. T'as bien compris. Faut que tu te démerdes pour parler au barbu sans qu'on puisse t'entendre. Tu lui dis seulement que je veux le voir. C'est tout. Et tu l'amèneras ici.

Courbant l'échine, l'enfant part en trottant sous l'averse. Ses pieds nus font gicler la boue sur ses jambes maigres.

36

ARISTIDE VERGERON arrive très vite. Il porte un fusil dont il paraît bien embarrassé. Sa main gauche tient fermé devant sa poitrine un carré de bâche qui a dû être vert. Sa barbe ruisselle. Il entre en s'ébrouant, très étonné par l'aspect des lieux.

— Ça alors ! souffle-t-il. Ça alors !

Pataro qui était seul près de l'entrée le laisse revenir de sa surprise, puis :

— Père Aristide, j' vous connais assez pour vous faire confiance, mais j' suis pas tout seul en cause. Faut me jurer que vous direz rien à personne.

Le vieux qui vient de poser son fusil contre une vieille crédence et de suspendre sa bâche à un chevalet de peintre a un geste pour désigner le fourbi entassé.

— Je me doute bien que c'est tout du matériel volé.

— S'agit pas d' ça. J' vais vous faire rencontrer des hommes, faudra pas...

Une forme remue dans l'ombre et s'avance lentement. C'est un homme court sur pattes qui boitille. Maître Vuillardier le suit. Le barbu dévisage le gros homme dont les traits se précisent à mesure qu'il approche de la porte restée ouverte.

— Monsieur Rigoux... si je m'attendais !

Le gros homme se met à rire.

— Eh bien oui, vous voyez, je suis arrivé à descendre, et je n'ai fait que me fouler une cheville.

Le canut bégaie :

— J'avais vu votre nom, sur la liste... Je... je savais... j' suis bien aise de vous savoir dehors.

L'avocat intervient :

— Nous ne sommes plus en prison, mais ça ne vaut guère mieux. Et il y a, paraît-il, pas mal de braves gens à notre place.

Le barbu ferme les yeux et hoche la tête.

— M'en parlez pas... Ils finiront par arrêter toute la ville...

M. Rigoux l'interrompt.

— Peut-être même des gens comme vous. La soif de meurtre de ce Charrier...

— C'est un fou. Fou à lier !

— Et vous, vous êtes assez déraisonnables pour vous laisser mener par un fou !

Le gros homme vient d'élever le ton. L'avocat se faufile pour passer devant lui.

— Du calme, monsieur Rigoux. Nous sommes entre gens de raison, nous devons pouvoir nous entendre. N'est-ce pas, Vergeron ?

Le vieux qui n'arrive pas à revenir de son étonnement fait signe de la tête.

— Je suppose, poursuit l'avocat, que vous n'êtes pas le seul à penser de la sorte ?

— Nous autres, on réclamait deux sous sur les façons, on voulait la mort de personne. Seulement, y a eu les pendus.

— Les pendus sont le fait du prince, dit l'avocat, nous n'y sommes pour rien.

— Faudra leur expliquer.

— Je m'en charge, ne perdons pas notre temps. Combien êtes-vous pour garder la prison ?

— On est trente-cinq sans compter les vingt hommes qu'ils ont fait venir ce matin pour surveiller la rive du fleuve.

— Tous canuts ?

— Que non. Il s'en faut !

Maître Vuillardier s'accorde le temps de réfléchir. Personne n'ose souffler mot. On perçoit le bruit de l'eau sur le toit bas et le glouglou d'une gouttière qui pleure dans un bassin. L'avocat lève la main et ouvre la bouche pour parler lorsque Ratanne, demeurée sur le seuil, tousse très fort.

— Allez vous cacher au fond, ordonne Pataro.

— Mais si on m'a vu entrer ? s'inquiète le vieux canut.

— Pas vous. Restez ici avec nous.

Pataro les pousse vers l'entrée où ils s'immobilisent : le vieux canut, Damarin qui tremble comme une feuille et l'enfant qui continue de regarder tomber la pluie. Un bruit de voix approche et des pas dans le bourbier. Pataro rejoint Ratanne et la pousse vers l'intérieur. Le canut prend son fusil et le tient contre lui, comme s'il redoutait qu'on veuille le lui voler.

Les hommes qui arrivent sont trois, dans la

trentaine. Ils parlent haut. Ce sont des chapeliers. Ceux qu'on nomme approprieurs. Ils prennent les peaux de castor quand elles arrivent du Canada, les lavent à grande eau, les pétrissent et les brossent jusqu'à les rendre aussi souples que du velours. Besogne très dure.

Eux aussi ont demandé l'augmentation de leurs façons. Voyant Aristide Vergeron, le premier s'étonne :

— Qu'est-ce que vous foutez ici ?

— J' suis avec des amis. On s'est mis à couvert. Et vous ?

— On attend la relève.

— Ici ?

— On est trempés.

Le vieux hésite un peu avant de dire :

— C'est tout de même moins pénible que de gratter des peaux !

Ils se regardent tous les trois et l'un d'eux répond :

— Ma foi, on se demande bien ce qu'on fout là.

— Si la relève vous trouve pas à votre poste...

— La relève, c'est Pertusard qui la commande, avec lui, un pot de pisse-dru peut tout arranger.

Ils sont entrés pour ne plus être sous l'averse et observent, médusés, tout ce qui s'entasse ici. Le plus grand dit :

— Bordel ! Ça semble pas, mais y en a pour des sous, dans ce local !

Ils parlent un moment avec Pataro, le canut et Damarin, puis ils sortent en annonçant :

— On va tout de même y retourner, des fois qu'avec Pertusard y aurait un mouchard.

Ils s'en vont et les autres les regardent patauger. Les trois dos courbés fument sous l'averse.

Dès qu'il les a entendus s'éloigner, maître Vuillardier s'est approché. Il s'adresse au vieux canut :

— Des mouchards, y en a beaucoup parmi vous ?

— Chez nous, sûrement pas, chez eux, doit pas y en avoir des masses. Mais suffit d'un seul.

Il marque un temps avant d'ajouter :

— Je m'en vais tout de même remonter, faut pas provoquer le sort.

— Attendez !

Maître Vuillardier a lancé cet ordre d'une voix tendue à l'extrême. Son visage exprime une grande inquiétude. Il fixe le gros Rigoux et c'est à lui seul qu'il semble s'adresser :

— Je vais monter avec lui.

— Non, fait le soyeux qui a peine à respirer. Si quelqu'un doit monter, c'est moi. Ces hommes et moi, nous sommes liés par le travail. Je suis certain que pas un n'a quoi que ce soit à me reprocher.

— Vous ne saurez pas leur parler.

— Aussi bien que vous ! Les avocats n'ont pas l'exclusivité du discours !

Le ton monte et le vieux canut intervient.

— Si des maboules vous voient en route, y sont foutus de vous allonger sans vous laisser le temps de dire un mot. J' vais monter. Je vous en envoie quatre ou cinq. Les plus influents. La petite va m'accompagner pour les conduire.

Le vieil homme lance sa bâche sur ses épaules et, prenant l'enfant par la main, il la serre contre lui pour l'abriter. Ils s'en vont ainsi. Le fusil qui soulève le lourd tissu trempé les fait ressembler à un animal étrange avançant dans un marécage.

37

ILS sont huit que Ratanne amène jusqu'ici. Deux jeunes. Les autres ont passé la quarantaine. Cinq canuts, un chapelier, un menuisier-charpentier spécialisé dans la réparation des métiers à tisser et un dessinandier. C'est l'avocat qui leur parle. Pour les travaux, c'est le gros Rigoux. On les sent tendus, habités de craintes. Quand leur tour vient de répondre, le dessinandier prend la parole :

— Nous, on n'est pas pour se battre. On veut travailler et manger. Ce Charrier, on l' connaît pas plus que ça.

Les autres approuvent. Maître Vuillardier assez satisfait interroge :

— Et que comptez-vous faire ? Assister au massacre de la moitié de la ville sans intervenir ?

— Qu'est-ce qu'on peut faire ? demande le chapelier.

— Vous avez des armes, retournez-les contre ceux qui vous ont engagés dans la voie de la folie. Nous sommes avec vous.

L'un des canuts a un petit rire.

— Vous êtes deux, avec nous ça fait dix.

— Nous sommes plus que ça et je suis certain que si je peux parler à vos camarades, ils marcheront.

Les hommes se regardent entre eux. Les yeux questionnent. Le dessinandier finit par remarquer :

— C'est tout de même un foutu risque.

— Je suis prêt à le prendre, lance l'avocat d'une voix qui sonne comme un cuivre.

— Moi aussi, fait le marchand d'un ton beaucoup moins limpide.

Il y a un moment d'hésitation, puis l'un des canuts demande :

— Où sont les autres ?

— Ils se montreront quand il le faudra.

Le dessinandier a un geste de lassitude. Son bras retombe. Il interroge encore ses compagnons du regard puis, se tournant vers l'avocat et le marchand, il dit :

— Ma foi, c'est vous qui risquez le plus. Si vous voulez venir...

Ils y vont. Pataro décide de les accompagner avec Ratanne qui connaît à fond le dédale des ruelles et peut, en cas de besoin, venir prévenir Damarin qui reste là. Il a décroché son deuxième fusil mais on sent bien qu'il préférerait la fuite à n'importe quel combat.

Suivant l'infirme, ils montent par ces venelles où l'eau continue de dévaler. Ils sont à peu près à mi-chemin lorsqu'ils entendent des chevaux et un roulement de charrois venus du pont. Ils s'arrêtent.

— Ratanne, cours vite jusqu'en haut, tu diras ce qu'y passe.

L'enfant part dans des gerbes d'eau. Pour l'attendre, les autres se mettent à l'abri dans des cabanes où sont des gens du quartier. Les feux maigres de bouts de planches mouillées dégagent davantage de fumée que de chaleur. Sur toutes ces demeures de misère pèse un nuage qui pue la suie. Les enfants à demi nus et des adultes pour la plupart estropiés et squelettiques se mettent à réclamer à manger.

— On n'a rien, font les hommes.

Le dessinandier suggère :

— Faudrait essayer de leur faire au moins distribuer du pain. Y peuvent même plus aller mendier en ville.

Un des canuts lance :

— Eux, y risquent pas la guillotine.

La phrase est suivie d'un silence durant lequel les bruits d'eau emplissent l'espace. Vient aussi le premier des attelages qui ont quitté la grand-route pour s'engager sur le chemin de la prison.

— C'est sûrement encore des gens arrêtés.

— On va plus savoir où les foutre.

Un long moment s'écoule, puis la course de Ratanne fait gicler la boue tout près. L'enfant est très essoufflée. L'eau luit sur son visage dont les cicatrices sont autant de grimaces.

— Alors ?

Elle montre quatre doigts.

— Quatre voitures... Doit bien y avoir trente prisonniers par voiture... Puis après, un chariot bâché. Quand y m'a passé devant, ça sentait bon le pain chaud.

— Et les gardes ?

— Une dizaine pour les quatre voitures.

Le chapelier intervient :

— Faut attendre un moment. On sait comment ça se passe. Dès que les prisonniers sont dans les cellules, les voitures repartent et les gardes d'escorte aussi. On les entendra.

Ils les entendent bientôt, en effet, et dès que le piétinement commence à s'éloigner, ils sortent et reprennent leur route. Le jour a entamé son déclin. La lumière est plus triste encore mais la pluie diminue d'intensité et le vent semble vouloir se lever.

De chaque cahute, des miséreux s'avancent pour tendre la main et réclamer du pain. Certains lancent des rires grinçants.

— Pataro enrôlé, on aura tout vu !

L'infirme va sans se retourner. Sa casaque n'est plus qu'un paquet de boue.

38

Il devait y avoir une grande lassitude chez ces gens privés de leur travail et, pour beaucoup, déjà écœurés par ce qu'ils avaient vu de gâchis, de brutalités et d'injustice. L'avocat et le marchand de soieries n'ont pas eu grand talent à déployer pour les décider. Tous reconnaissaient :

— On n'a pas voulu ça. On n'a pas fait la grève pour autre chose que deux sous.

Et le marchand leur répondait :

— Vous les aurez vos deux sous, et largement, je m'en porte garant devant vous tous. Maître Vuillardier pourra en témoigner.

Le crépuscule commence à peine de couler ses rougeurs au flanc de la colline des Prières que tous les prisonniers sont libérés. Les gardes postés au bord du fleuve ont abandonné leur faction et regagné la prison. Les évadés réfugiés dans l'antre de Damarin sont arrivés aussi. La pluie a cessé mais le ciel demeure lourd de menaces.

L'avocat demande qui commande la garde. Un grand gaillard maigre et voûté se présente. Pataro le connaît pour l'avoir souvent croisé en ville. Il fait partie des gens qui ne mettent jamais la main à leur bourse. Il se présente :

— Poissard Eugène, j'ai été nommé parce que j'ai fait du service au château à l'époque où les gardes n'étaient pas tous suisses.

— Et tu connaissais Charrier ?

— Pas plus que vous. C'est un de ses ministres, le gros Lunand, qui est mon voisin.

— Il t'a donné quel grade ?

— Adjudant.

— Peux-tu rassembler tes chefs d'escouade ?

— Pas difficile.

Il lève son long bras et allonge ses immenses jambes maigres pour traverser la cour en diagonale.

— Chefs d'escouade ! hurle-t-il d'une curieuse voix de fausset.

Il a bientôt six hommes près de lui. Tout autour, le monde afflue, prisonniers et gardes mêlés. Les prisonniers dix fois plus nombreux que les geôliers et plusieurs ont déjà trouvé des fusils, des sabres, des épées ou des piques. L'avocat demande aux chefs de section s'ils sont d'accord pour que Poissard commande leur troupe. Il y a des oui. Des voix suggèrent :

— Faut élire un chef.

L'avocat lève les bras pour réclamer le silence. De plusieurs points de la cour et de quelques fenêtres partent des :

— Maître Vuillardier ! Vuillardier !

Le cri s'amplifie. Presque tout le monde le

reprend. Quand, à force de gesticulations, l'avocat obtient le silence, de sa voix de plaidoirie que réverbèrent les quatre façades, il lance :

— Je vous remercie, mais je ne suis pas militaire.

— On s'en fout !

— C'est égal !

— Nous non plus !

Il fait encore des gestes d'apaisement.

— Si vous voulez que nous ayons une chance de reprendre la ville, ne braillez pas comme ça. On va vous entendre de l'autre rive et nous aurons du monde sur le dos. Je veux bien être responsable, à condition que l'adjudant Poissard soit mon bras droit. Mon conseiller militaire. Il y a, parmi les prisonniers, des hommes qui ont eu un grade dans la milice bourgeoise. Nous allons nous rendre dans la salle d'armes, qu'ils nous y rejoignent.

Pataro s'est tenu à l'écart. Il dit à Ratanne qui vient d'aller chercher Damarin :

— Tu peux rentrer, j'aurai plus besoin de toi.

— Et ma pièce ?

— Tu penses bien que je l'ai pas sur moi. Tu l'auras demain.

— T'as promis, hein ?

— Promis.

L'enfant fait deux pas puis se retourne :

— Et du pain, j' peux en avoir ?

Pataro avise dans la foule un canut à qui il va tirer le bas de culotte.

— Dis donc, Magulier, tu sais où il y a du pain ?

— Aux cuisines, pardi !

— Va aux cuisines avec la petite, tu lui donnes de quoi manger pour trois et aussi pour mes bêtes. Ratanne, t'iras leur donner, et les laisse pas foutre le camp.

Le canut se met à rire.

— Sacré Pataro, tu commandes comme un général. C'est toi qu'on aurait dû élire.

L'homme s'éloigne avec l'enfant au visage rongé, tandis que Pataro, longeant le mur, essaie de gagner la salle d'armes. Damarin le suit un moment avant d'annoncer :

— M'en vas retourner aux ruines du pont. J'y ai laissé mon meilleur fusil et mes cartouches.

— Tu vas revenir, hein !

— Tu parles, j' tiens à être payé. Tu crois pas que j' vas te faire cadeau de ce que tu me dois ! T'as promis : t'as promis.

— Tu peux y compter, Damarin. J' me dédis jamais, moi ! Et je paie toujours ce que je dois. C'est pour ça que j' suis si pauvre.

39

PATARO a observé ce qui se passait dans la salle à travers les vitres crasseuses de la fenêtre où il a eu du mal à se hisser. Il n'a rien compris de ce qui se disait, mais la réunion n'a pas duré longtemps.

Quand les hommes sortent, la nuit est presque venue. Pataro s'approche de Vergeron :

— Alors, qu'est-ce que vous faites ?

Le vieux canut qui ne l'a pas vu se penche vers lui. Il sourit dans sa barbe et son œil pétille.

— J' crois qu'on va se débarrasser du fou. Pour l'heure, faut commencer par le pont.

L'infirme aimerait en savoir davantage, mais le vieux file en appelant des noms. Tous ceux qui ont assisté à la réunion font comme lui. Et un grand mouvement se dessine dans la cour où des groupes commencent à se former. Maître Vuillardier est resté devant la porte et s'entretient avec les deux Portal, Rigoux, le juge Combras et Nestor Beauvoisin. Pataro s'avance et touche la jambe de l'avocat qui se retourne et s'incline.

— Qu'est-ce que tu veux ?

— Faut m'excuser, m'sieur l'avocat, mais votre femme m'a promis... j'ai fait travailler du monde pour vous sortir de là, faut que je paie.

Maître Vuillardier semble un instant tombé de la lune, puis, se reprenant très vite, il s'accroupit pour se trouver à la hauteur du déglingué.

— Je n'oublie pas, mon ami. Vous serez tous payés largement. Seulement, tu sais d'où nous sortons puisque c'est toi qui nous en as tiré. Et tu penses bien que nous y étions sans un centime. Dès que nous aurons traversé, tu seras payé.

Le juge Combras qui s'est baissé se hâte de dire :

— T'ai-je jamais fait travailler pour rien, Pataro ?

— Que non, m'sieur le juge. Moi j' demande rien, c'est mes amis qui réclament.

— Eh bien, va vite leur expliquer la situation. Ça ne sera pas long, va !

Pataro s'éloigne et, cherchant son chemin entre les sections en formation, évitant assez adroitement tous ces pieds qui font gicler la boue, il gagne le porche.

Il lui faut peu de temps pour atteindre le bas-port. Le ciel au couchant est une longue plaie qui saigne jusqu'à la surface du fleuve dont le niveau a monté. La nuit sort de la terre détrempée. Elle a déjà envahi les berges et noyé tous les recoins. Pataro ne fait que descendre chez lui pour s'assurer que Ratanne a bien nourri ses bêtes et refermé les cages. Il vérifie tout à tâtons sans se donner la peine d'allumer une chandelle. Aux miaulements des chats et aux roucoulements déjà ensommeillés des pigeons, il comprend que tout son monde a le ventre plein. Il se hâte de remonter sa rampe que la pluie a rendue glissante. L'eau et la boue ont coulé jusque dans sa demeure.

Une fois sur le bas-port, il suit le sentier qui passe sous le haut mur de la prison et file droit vers l'antre de Damarin. La porte est close, mais un filet irrégulier de lumière en marque le contour ébréché et les fentes. Pataro pousse. Le battant résiste. Il tape et crie :

— Ouvre, bon Dieu ! Quand t'es rentré, y a plus de voleur dehors.

Le pas approche et la porte s'ouvre.

— Qu'est-ce que tu veux ! Tu viens avec des sous ?

Pataro rapporte les propos de l'avocat.

— Reste à espérer qu'il se fera pas descendre.

— Y aura toujours sa femme. Et puis d'autres payeront, t'en fais pas.

Le bric-à-brac est éclairé par une grosse lanterne à réflecteur.

— Qu'est-ce que tu bricoles ? demande l'infirme.

— J'ai récupéré mon tromblon. Tout trempé qu'il est. Je le nettoie avant que la rouille le bouffe.

— Brandusse pas, mon vieux, y t'attendent pour attaquer le pont !

— Mon cul ! J'en ai assez fait.

— Je l' savais, t'as la trouille.

— Qu'est-ce que t'attends pour y aller, toi l' courageux ?

— Si je pouvais tenir une arme, je serais le premier.

Damarin part d'un rire qui grince autant que sa porte.

— En tout cas, déclare Pataro, j' veux au moins voir ça !

Et il se dirige vers la porte. Damarin passe sur une épaule la courroie de sa musette et, sur l'autre, la bretelle de son fusil. Il souffle sa lanterne et sort derrière l'infirme.

— Moi aussi, j' veux voir. Et dès qu'on pourra traverser, j'irai avec toi pour qu'on touche notre dû. Les révolutions, faut bien que ça rapporte à quelqu'un.

La nuit s'est encore épaissie. En face, les maisons ont éclairé quelques fenêtres. Très peu du côté de la colline du Labeur toujours silencieuse. Pataro et Damarin vont se placer sur des pierres pour éviter la boue. La vorgine trempée commence à s'ébrouer au vent qui souffle du sud.

Ils ne sont pas là depuis plus de cinq minutes lorsque, à la porte du pont la plus proche, se produit un mouvement de lanternes. Des éclats de voix leur parviennent sans qu'ils puissent rien comprendre. Puis un piétinement nombreux.

— Je crois bien que ça a marché, fait Damarin. On peut peut-être s'approcher.

— Attends un peu. De c' côté, c'était des hommes du même corps qu'à la prison. L'autre poterne, c'est pas pareil.

Des lueurs commencent à avancer sur le dos-d'âne du pont tandis que d'autres sortent de la poterne d'en face. Il y a quelques cris, une course rapide puis trois coups de feu. Trois grosses étincelles rouges au pied des tours qu'on devine à peine dans l'obscurité.

— J' m'en doutais, dit Pataro.

Des détonations claquent qui montrent que les assaillants tirent aussi.

— Y s' débinent !

Il y a en effet un mouvement rapide du côté de la rive droite. Bientôt, des fenêtres s'éteignent, d'autres s'éclairent. On remue beaucoup dans les immeubles qui bordent le quai. La fusillade crépite de part et d'autre, mais les lueurs montrent que les assaillants continuent leur progression.

— J' vois ce qu'ils veulent faire, dit Pataro.

— T'es malin toi.

— Y veulent encercler l'hôtel de ville.

C'est bien du côté de la place et dans les rues qui y conduisent que la bataille semble se dérouler. Quelque chose brûle. Des flammes montent, poussant un lourd nuage de fumée. Les lueurs jouent sur son ventre travaillé de vent.

— Vont foutre le feu à la ville.

— Putain, pourvu qu'y fassent pas flamber la maison de l'avocat, on serait jamais payés ! Merde, avoir tant bossé pour rien, j' l'aurais sec !

Damarin est furieux. Pataro émet un ricanement :

— Si t'as peur pour eux, prends ton tromblon et va leur filer la pogne.

L'autre se contente de grogner.

En face, il semble que la fusillade s'apaise. Les

flammes sont moins hautes mais la fumée très épaisse enveloppe à présent toute la colline du Labeur. Le vent qui la malmène finit par en rabattre une partie jusque sur le fleuve, en amont de la ville.

Sur la rive gauche, tous les miséreux et les éclopés ont fini par gagner le bas-port d'où ils assistent au spectacle.

CINQUIÈME PARTIE

La colère du fleuve

40

LORSQU'ILS ont vu Pataro et Damarin s'en aller en direction du pont, à peu près tous les dépenaillés du quartier de la prison les ont suivis.

L'énorme lanterne qui pend à la clé de voûte de la poterne se balance au vent. Sa clarté va et vient sur ce cortège. Ils sont bien une centaine à s'étirer : manchots, aveugles guidés par des boiteux, borgnes, défigurés, membres tordus, tous portent des haillons couverts de cette boue grise à traînées jaunâtres qui a envahi les ruelles et même certaines cabanes depuis que la pluie a transformé le quartier en cloaque.

Il n'y a plus de gardes. A la poterne de la rive droite, seuls sont encore là quelques ouvriers âgés qui ont donné leurs armes à des prisonniers évadés. Assis sur les bancs de granit où tant de suisses affectés à la perception du péage ont usé leurs culottes, ils contemplent ce défilé sans souffler mot, avec seulement, de loin en loin, un soupir ou un hochement de tête.

Lorsque le cortège précédé par Pataro, Damarin

et deux ou trois autres atteint le quai, la ville a cessé de pétiller depuis un bon moment. Les rues qui mènent à la place de l'Hôtel-de-Ville sont très animées. Des gens marchent, courent, se bousculent, s'interpellent. On entend des rires et des bribes de chansons. Dans une ruelle, roulent des tambours.

Le feu qu'ils ont vu de l'autre rive était l'incendie d'une maison. On a réussi à le maîtriser, mais, des décombres, s'élève toujours une fumée âcre. Quelques mauvais remous du vent la plaquent parfois sur les rues où bien des gens se mettent à tousser.

Pataro a du mal à progresser sans se faire piétiner. Les arrivants questionnent à droite à gauche :

— Qu'est-ce qu'y se passe ?

— Où on en est ?

Certains répondent sans avoir rien vu.

— Ils ont tué Charrier et tout son conseil.

— Le prince a levé une armée. Il marche sur la ville.

— Vuillardier est un vendu au prince.

— Les pendus ont été vite oubliés !

Damarin, Ratanne et Carré-d'as restent autour de Pataro. Damarin dit :

— Tu crains rien, on se tient autour pour que tu sois pas écrasé.

Le déglingué ricane :

— Si vous aviez touché votre pognon, je pourrais bien être réduit en penouillon, ça vous ferait ni chaud ni froid.

En se collant aux façades et en jouant des coudes,

ils arrivent à se frayer un chemin jusqu'à l'entrée de l'hôtel de ville où se tient ce qui intrigue la foule. Pataro, qui agit à la manière des chiens et à même hauteur, a moins de peine que les autres à se faufiler. Même, une fois rendu sur le grand escalier où les gens sont bloqués, il parvient encore à se glisser entre les jambes. Il n'y a là que très peu de robes et de jupons.

Surtout des hommes sont parvenus jusque-là parce qu'ils étaient les premiers. L'infirme patauge dans les flaques gluantes qui ont l'air d'être du sang.

Il atteint la salle du conseil aux lambris dorés et au plafond à caissons à l'instant où l'on agite violemment une sonnette. Le brouhaha des voix et de la bousculade s'intensifie pour diminuer bientôt. Pataro n'est pas loin d'une croisée, mais il ne voit rien. Des gens s'écartent pour le laisser gagner cette fenêtre et d'autres le soulèvent pour le poser sur le large rebord où deux canuts sont déjà assis. L'un d'eux lui souffle :

— C'est la meilleure loge.

Au fond de la vaste salle, sur l'estrade de planches qui fait penser à une scène de théâtre, des hommes sont assis derrière une longue table, face au public. Au centre, le président Gorron, à ses côtés les juges Combras et Marlet. Maître Vuillardier se tient à l'extrême gauche. De l'autre bout, Charrier est debout entre deux canuts armés. Devant lui, assis à la table, aussi blême que lui, un avoué très connu, maître Bourgeon. A voix basse, Pataro dit à son voisin :

— Ça n'a pas traîné.

— Ils étaient ici, en train de juger. Les gardes ont compris tout de suite en entendant la fusillade, ils ont tourné leurs armes contre eux. Le tribunal avait plus qu'à changer les places.

D'une voix de tonnerre, le président Gorron, homme court au visage lourd et sanguin, se met à parler. Il reproche à Charrier d'avoir incité des gens à la révolte, d'avoir fait fusiller des innocents sans jugement, d'en avoir fait emprisonner d'autres, fait piller des maisons et démolir le palais de justice.

Là, il marque une pause durant laquelle son regard se déplace comme s'il interrogeait le public. Et la force de cet œil sombre est telle que partout où il balaie, le monde se fige dans un silence glacé. On dirait que la lumière qui tombe des trois énormes lustres portant chacun au moins cent bougies entre des multitudes de cristaux étincelants, on dirait que cette lumière est attisée comme un feu par la bise.

Revenant à Charrier dont le crâne blanc étincelle de sueur, le président lui lance :

— Charrier, qu'avez-vous à répondre à ces chefs d'accusation ?

D'une voix fêlée qui n'est plus qu'un grêle filet à côté de ce qu'elle était lorsqu'elle emplissait l'espace de la place sur la colline du Labeur, Charrier crie :

— Je suis pur, je suis intègre, je suis incorruptible. Je n'ai fait que commencer à purger cette ville du mal qui la ronge. Après moi, d'autres continueront. Purger, c'est rejeter loin du corps qu'ils empoisonnent les miasmes...

Le président agite sa clochette. Charrier, parti pour un discours et dont le timbre se raffermit au fil des mots, essaie de poursuivre, mais la forte voix de Gorron couvre la sienne :

— Taisez-vous, Charrier, ne plaidez pas à la place de votre défenseur. Il saura le faire mieux que vous, le moment venu.

Le défenseur est plus blême que son client. On voit ses mains trembler sur la table. Il n'a pas choisi cette tâche. Conseiller de Charrier dans le gouvernement que celui-ci avait formé, on l'a désigné pour le défendre. Il sait qu'il risque fort d'être jugé lui aussi.

— Pour l'heure, lance le président, la parole est à l'accusation.

Maître Vuillardier, qui porte toujours la chemise blanche et le pourpoint bleu clair qu'il avait en prison, se lève lentement. Il déploie sa haute taille et enfle sa poitrine épaisse comme s'il s'apprêtait à écraser du même geste Charrier et son défenseur.

Et il parle.

Lentement, posément, sans une ombre de colère. Il brosse de l'accusé un terrible portrait. Celui d'un être uniquement habité par la haine, la jalousie, l'ambition, le besoin de dominer et la soif de meurtre. Chacun des faits qu'il relate, des noms qu'il prononce, des propos qu'il rapporte semble non pas une flèche qui s'en irait transpercer Charrier, mais un énorme pavé tombant du ciel sur son crâne dénudé où la sueur perle de plus en plus.

La salle est subjuguée par cette voix. Les mêmes que Charrier a galvanisés en leur parlant de leur propre misère boivent les paroles qui l'accusent. Ils le regardent avec une horreur égale à l'admiration qu'ils lui ont portée quand il leur prêchait la révolte.

L'accusateur ne parle pas longtemps. Il termine son propos en rappelant les pleurs, le sang versé, et il ajoute :

— Charrier a voulu un tribunal révolutionnaire, il s'y trouve aujourd'hui à la place qu'il mérite. Charrier a voulu dresser devant cet hôtel de ville une guillotine, je demande qu'il en soit la première victime. Et que le suivent sous le couperet d'acier tous ceux qui l'ont soutenu dans son œuvre criminelle.

Comme la salle frémit et murmure, l'avocat se tourne vers elle :

— Je ne parle pas des humbles qu'il a abusés et qui ont compris leur erreur, je parle des crapules de son espèce dont il avait osé faire des ministres.

Un soupir court. Puis des applaudissements éclatent, dominés par des hurlements :

— A mort Charrier !

— La guillotine !

La clameur gagne l'extérieur, reprise par des milliers de femmes et d'hommes qui ne savent rien de ce qui se passe dans la salle. Elle monte comme un terrible incendie au flanc des deux collines. Elle galope de rue en rue et c'est bientôt toute la ville qui hurle pour réclamer la tête de Charrier.

Elle est si ample, si forte, avec des aigus si

tranchants qu'elle atteint bientôt le ventre invisible des nuées.

Et les nuées contrariées par ce souffle énorme venu de la terre se déchirent entre elles en voulant modifier la direction de leur cours. Sur cette ville à présent éclairée de milliers de fenêtres et d'un nombre plus grand encore de lanternes, le ciel troublé, blessé jusque dans ses entrailles noires, déverse soudain des trombes d'eau. La foudre lacère l'obscurité et roule entre les façades illuminées. Sa lueur fait pâlir celle des lustres. Le tonnerre gronde dans la salle tandis que Charrier se lève en hurlant à se briser la voix :

— Craignez le doigt de Dieu ! Je ne crains point votre justice. C'est vous qui aurez à redouter la colère du ciel !

41

IL n'a pas fallu plus de dix minutes de délibérations aux trois magistrats pour condamner Charrier à avoir la tête tranchée. Ce verdict a soulevé une deuxième clameur, mais, cette fois, le ciel ne s'est pas mis en colère. Au contraire, la foudre s'est éloignée. L'orage a basculé d'un coup par-dessus la colline du Labeur et le vent l'a empoigné pour le pousser vers le nord.

Ceux qui se trouvaient dehors l'ont très bien vu disparaître. Ils ont entendu ses charrois sonores s'éloigner au grand galop sur les plateaux qui prolongent la colline. Il a mené le branle longtemps en remontant le cours du fleuve, et sa rage a éveillé les échos profonds de la vallée encaissée entre des falaises.

A présent, la pluie s'est de nouveau installée. Elle occupe toute la nuit. Elle noie la place et les rues ; elle fait courir des reflets sur les pavés où la foule piétine. Les gens se bousculent pour trouver refuge sous les arcades du théâtre, dans toutes les traboules et sous tous les porches, mais bon nombre de personnes ne peuvent y pénétrer. Résignés, les gens attendent sous l'averse. Personne ne veut risquer de manquer le spectacle.

Dès que le verdict a été prononcé, l'un des canuts qui se trouvaient à côté de Pataro a déclaré très satisfait :

— On n'a pas à bouger. Première loge côté face pour le procès, première loge côté pile pour l'exécution.

Ils ont fait demi-tour. Le nez collé aux vitres où l'eau ruisselle en charriant des reflets, ils ont une vue directe sur la machine dont le couperet luit dans l'ombre comme une flamme presque immobile.

Les juges ont disparu. L'accusé et ses gardes également. Une partie de la foule se presse contre les huit grandes fenêtres, mais le reste s'écoule vers l'extérieur. Un long moment passe, habité seulement de la rumeur à laquelle se mêlent le piétinement multiple et les bruits de l'averse.

Quelques éclairs lointains plaquent encore de rapides lueurs sur les façades d'en face, mais le roulement ne vient plus jusque-là.

Soudain, sur la droite, un remous se dessine dans la masse serrée des têtes. D'où il se trouve, Pataro voit des hommes fendre la foule, mais il ne parvient à distinguer vraiment que le canon des fusils et quelques bonnets rouges.

Un crucifix semble marcher seul au-dessus des têtes.

C'est lui que l'infirme suit des yeux jusqu'au pied de l'estrade. Le crucifix s'arrête. Il disparaît un instant comme s'il plongeait entre les curieux. La pluie fume sur l'estrade de planches et fait des vagues de brouillard au-dessus des bonnets et des bouts de bâche. Il y a des mouvements de bousculade.

La guillotine bouge comme si elle allait s'abattre sur la foule.

Un homme gravit le petit escalier. Vêtu d'une sorte de casaque rouge qui lui couvre la tête et les épaules, il va se planter à droite de la machine et reste collé à son montant. Deux hommes montent à présent, qui tiennent Charrier dont le crâne chauve ruisselle.

Pataro voit mal ce qui se passe mais il devine une lutte entre ces trois hommes. Charrier à présent est à plat ventre sur une planche où les deux aides l'attachent avec des cordes. Ils poussent la planche vers le bâti.

Le silence se fait. Il n'y a plus que le roulement de la pluie contre les vitres que domine bientôt celui des tambours dont la peau détrempée rend un son mat.

Pataro sursaute. La lame d'acier vient de descendre. Mais lentement. Le condamné remue sur sa planche. En dépit des liens, il parvient à lever une jambe. Les deux aides se précipitent. Une rumeur court sur les masses habitées de houle.

Dans la salle, plusieurs voix disent :

— Ils l'ont manqué.

— Le bois mouillé a gonflé.

— Y recommence !

Le couteau monte tandis que le bourreau tire sur

une corde. Une deuxième fois la lourde lame descend, toujours aussi lentement. Cette fois, les gens hurlent. Dans la salle, on commente :

— C'est dégueulasse.

— Une saloperie, cette machine.

— Bon Dieu, regardez, il le finit au couteau !

Tandis que les deux aides maintiennent le corps du supplicié, le bourreau a tiré de son étui un long couteau de chasse. Penché sur le cou, son corps est secoué par les efforts qu'il fait pour trancher les muscles.

Ce travail dure une éternité.

Il se redresse enfin. Il a posé son couteau. Comme Charrier n'a pas de cheveux, il tient sa tête par les oreilles et tourne sur place pour la montrer aux quatre vents.

42

De la fenêtre où il se trouve, Pataro voit les aides jeter le corps de Charrier et sa tête dans une grande malle d'osier qu'ils descendent avec l'aide des hommes en armes et emportent vers la droite. Tandis que la foule houleuse s'écoule dans toutes les directions, la pluie redouble de violence.

— Tu veux qu'on t'aide ?

L'infirme sursaute, comme si on le tirait d'un mauvais sommeil. Les hommes qui l'ont hissé sur le rebord de la fenêtre l'empoignent et le déposent sur le parquet boueux. A peine parvient-il à la porte que Damarin le rejoint.

— J' t'attendais. T'as vu ça, comment ils l'ont charcuté... T'étais à l'intérieur, toi, tu l'as pas entendu gueuler. Pareil qu'un cochon qu'on égorge.

— On dirait que ça t'a fait plaisir.

— Moi, j' m'en balance. Y a pas mal de gens qui disaient : C'est pas plus mal, ça lui laisse le temps de penser à ceux qu'il voulait faire guillotiner.

Ils descendent l'escalier où l'averse crépite. Sur la place, de véritables torrents se sont formés.

— On va aller se faire payer, à présent, dit Damarin.

— T'es fou, pas en pleine nuit.

— Y vont rentrer chez eux. On est certains d' pas les manquer.

— Y risquent de pas rentrer tout de suite.

— On attendra.

Damarin s'accroche à son idée.

Il répète au moins pour la dixième fois depuis le matin :

— Tant que j' tiens pas mes sous, j'y crois pas.

Ils traversent la place où bon nombre de gens passent encore dans tous les sens. La plupart courent sous les rafales. Des enfants pleurent. Une jeune femme tombe de tout son long devant eux. L'eau gicle autour d'elle. Il y a des cris. Elle se relève dégoulinante en annonçant :

— Pas plus trempée qu'avant !

Ils atteignent assez vite la maison de l'avocat dont le portail est entrebâillé. Damarin pousse le lourd vantail qui grince sur un ton grave. Le métal des gonds tressaute. Un chien s'engouffre derrière eux et file vers la cour intérieure où un peu de lumière miroite.

— Y sont là.

— Pas sûr.

Pataro avance vers la cour. L'eau qui cascade des toitures forme un rideau qu'il faut traverser deux fois pour atteindre la porte proche de la fenêtre éclairée.

— Cogne, dit Damarin qui se colle contre le bois mouillé.

— Y a une sonnette, tire dessus, c'est trop haut pour moi.

La main de Damarin tâtonne et finit par trouver le pied-de-biche pendu à une chaîne. Une cloche tinte juste au-dessus d'eux. Quelques instants, puis un pas rapide et menu.

— C'est la femme, souffle Damarin.

— Qu'est-ce que c'est ?

— Pour voir maître Vuillardier.

— Il est pas là.

— Alors, sa dame.

— Elle est avec lui. Qu'est-ce que vous voulez ?

— J' suis Pataro. J' veux entrer.

— A pareille heure ?

— C'est important.

— Faut attendre.

— Pas dehors.

La porte s'ouvre.

— Mais tu n'es pas seul !

Apeurée, la femme essaie de repousser la porte mais l'infirme a déjà engagé son bras gauche.

— C'est juste Damarin. Faut aussi qu'y voie maître Vuillardier.

La porte achève de s'ouvrir lentement. La femme qui tient la poignée à deux mains est toute menue. Un visage de souris au museau pointu. Elle peut avoir trente ans aussi bien que cinquante. Elle appelle :

— Honorine ! Honorine !

Une porte s'ouvre au fond du vestibule où Pataro remarque qu'on a déjà remis des meubles et des tableaux en place. Les tentures sont accrochées. Une femme plus volumineuse que la première arrive.

— Seigneur, y sortent du fleuve, ces deux-là ! Venez vous sécher.

Ils la suivent dans la cuisine où un grand feu flambe dans une cheminée large et haute comme un portail. Sur la gauche un potager de briques noircies où fument plusieurs poêlons.

— Approchez. Faut vous sécher. M'en vas vous donner de la soupe, ça vous fera un coup de chaud à l'intérieur.

Elle parle beaucoup en s'affairant. L'autre les contemple d'un œil étonné. La grosse pomme rouge leur tend des écuelles fumantes. Pataro pose la sienne par terre, Damarin va s'asseoir de biais à une longue table qui tient le centre de la pièce.

— Madame et monsieur ne vont pas tarder. Ils seront contents de vous voir.

Après la soupe, elle leur donne un morceau de bœuf cuit à l'étouffée avec des carottes, des oignons et de fines tranches de lard. Ils dévorent.

— Ça vous plaît ?

Ils grognent d'aise tous les deux tandis que la cuisinière explique que ses maîtres ne seront pas seuls. Elle leur verse un vin très capiteux.

— Vous en avez jamais bu du pareil, ça vient de Bordeaux. Bigrement loin. Heureusement qu'il était dans la troisième cave, sinon ces voyous l'auraient trouvé comme le reste.

Un long moment passe. Pataro et Damarin mangent encore un gâteau aux amandes. Ils ont terminé depuis longtemps et se laissent envahir par une merveilleuse torpeur lorsque la cloche les fait sursauter. Le trottinement de la souris sur les dalles de l'entrée, un bruit de portes puis des voix. Très vite, maître Vuillardier entre dans la cuisine. Il s'avance en disant :

— Ça pouvait attendre à demain, mais vous êtes là, je vais vous payer.

S'adressant à la cuisinière, il demande :

— Leur avez-vous donné une soupe ?

— Bien sûr, monsieur. Et ils se sont séchés.

Au moment où l'avocat va pour sortir, sa femme entre. Elle porte une robe noire dont la pluie a collé le tissu à son corps. Dès qu'il la voit, Pataro sent son visage devenir brûlant.

— Ma bonne Norine, dit-elle, il vous faut redescendre à la cave, nous sommes cinq de plus, il faut monter du vin.

Norine décroche un panier et sort en se dandinant tandis que la femme de l'avocat se précipite vers la cheminée.

— Brave Pataro, on va vous payer.

Elle se tourne vers Damarin en demandant :

— C'est vous qui l'avez aidé ?

— Oui, madame.

— Quel est votre nom ?

— Damarin, pour vous servir, madame.

— Pataro et Damarin, quels drôles de noms !

Maître Vuillardier revient. Il fait sauter dans sa main une bourse de soie bleue qui paraît lourde.

— Ma chère, allez vite, ne laissez pas nos

invités seuls. Et faites activer les feux, tout le monde est trempé.

Tandis qu'elle se hâte de sortir, l'avocat rejoint les deux hommes et tend au déglingué la bourse dont il vient de dénouer les lacets. Par l'ouverture, l'infirme voit briller de grosses pièces d'argent.

— Est-ce que ça va ?

Pataro hoche la tête et bredouille :

— Merci, vous êtes bon...

— D'autres personnes tiennent à vous récompenser aussi. Demain, on pourra...

Il est interrompu par l'arrivée de la cuisinière à bout de souffle et qui bégaie :

— L'eau... la crue... dans la cave.

La bougie qu'elle tient tremble dans sa main.

— Bon Dieu, ce n'est pas possible !

L'avocat sort derrière elle.

— Viens, dit Pataro, viens vite.

L'infirme n'a jamais patalé aussi vite. Des hommes sont dans le vestibule. Tous parlent de crue. Il passe entre les jambes et file vers la cour pareille à un lac. Le temps de la traverser, sa casaque est de nouveau trempée. La rue est déserte. Son centre est un torrent dont Pataro suit le cours en direction du quai.

Déjà, vers l'est, une vague lueur glauque se dessine. Elle arrive en rampant, comme écrasée sur l'eau des rues par l'eau qui descend des nuages invisibles.

43

Dès qu'il atteint le quai, Pataro que Damarin n'a pas attendu s'avance jusqu'au bord. Il n'a pas besoin de regarder vers l'aval encore baigné de nuit pour savoir que les ruines où se trouve son trésor sont déjà presque recouvertes. Le fleuve clapote et, en certains endroits, déborde sur la chaussée.

— Mille dieux ! mes bêtes !

Pataro fonce en direction du pont. Il croise des gens qui courent en tous sens. De la colline du Labeur, les canuts qui ont posé leurs armes descendent. Des hommes et des femmes sortent des maisons du quartier riche en appelant. D'autres crient depuis les fenêtres :

— A l'aide !

— On arrive !

Des ouvriers passent en pataugeant dans les flaques. Ils se dirigent vers les rues les plus basses où sont les échoppes des marchands. L'un d'eux lance à Pataro :

— Si on a nos deux sous, on les aura pas volés !

Ils sont trempés.

Sur le pont, il n'y a pratiquement personne. On perçoit d'ici le grondement du fleuve et les chocs sourds des troncs d'arbres énormes qu'il charrie et qui donnent de terribles coups de bélier dans les piles de pierre. La pluie est moins violente. Les premières lueurs déchirent le ciel au-dessus des Brotteaux.

Quand il débouche sur la rive gauche, Pataro voit des gens de son quartier qui fuient les ruelles et les bicoques en emportant quelques baluchons ficelés à la hâte. Il force l'allure tant qu'il peut. Il ne parle pas vraiment mais le souffle précipité qui sort de ses lèvres semble répéter au rythme saccadé de ses mouvements :

— Mes bêtes... mes bêtes.

— Va pas là, Pataro ! Ça monte vite !

Il n'écoute pas. Dévale la pente presque aussi rapidement que l'eau qui court vers le fleuve boueux. Des arbres énormes tournoient dans les remous en dressant leurs branches dégoulinantes vers le ciel.

C'est fait : l'autre rive est noyée. L'eau submerge le quai. Elle doit envahir toutes les rues du centre, toutes les caves, les boutiques, les pièces du bas des maisons. Le fleuve emporte déjà des caisses et des meubles. Toutes les barges à quai ont été balayées, leurs cordes d'amarrage arrachées.

Le fleuve est maître de la ville basse. Seules la colline des Prières et la colline du Labeur sont encore à le dominer.

Sur la rive gauche, les vorgines sont recouvertes. Çà et là, une toison de saule ou un roncier émergeant de temps en temps lâche au vent une volée de gouttes pour replonger aussitôt, écrasé par la force du courant. De larges remous se dessinent. Tout ce qu'ils peuvent empoigner tournoie longtemps avant d'atteindre le cœur qui entraîne les plus volumineuses épaves vers les profondeurs. Des tonneaux, des caisses, des meubles, une brouette avec sa roue qui tourne dans le vide, une hotte d'osier, un lit à baldaquin encore entier passent. Tout cela s'engouffre sous les arches du pont et file vers l'aval pour repartir de plus belle avec des mouvements de valse à n'en plus finir.

Pataro embrasse tout d'un regard sans rien voir vraiment. Son souffle lui brûle la gorge et la poitrine. Ses genoux et ses avant-bras sont en sang. Son crâne fume autant de sueur que de pluie.

Le râle qui fait vibrer ses lèvres est toujours le même :

— Mes bêtes... mes bêtes...

44

ALORS qu'il est encore à mi-chemin de la descente, Pataro vient de reconnaître Ratanne et Carré-d'as qui s'enfuient sur la route de la prison.

— Venez m'aider !... Venez !

Il crie de toutes ses forces, mais sa voix est écrasée par la fatigue. Son souffle est trop court. Il se met à tousser et son regard s'embue. Il reprend sa course.

Le fleuve vient à sa rencontre, il coupe déjà en plusieurs points le sentier qui conduit à la ruelle où donne son entrée. Il patauge, de l'eau à mi-corps.

Il aurait pu gagner la route et passer par le haut, mais c'était perdre des minutes précieuses.

Jamais il n'a vu le fleuve monter aussi vite.

Il atteint pourtant sa ruelle et se hâte vers l'entrée de sa cave. La rampe qui y descend est couverte de limon et très glissante. En bas, il y a déjà de l'eau plus haut que la planche qui lui sert de lit. Les bêtes folles miaulent, couinent, battent des ailes. Il se précipite pour ouvrir sa caisse qui baigne déjà bien plus haut que les roulettes, enlève la cheville de métal qui sert de serrure et tire sur la porte. Mais l'eau a fait gonfler le bois et la porte résiste.

— Coincée. Saloperie.

Pataro cherche à tâtons quelque chose qui lui permette de forcer. Il ne trouve rien. Les bêtes prisonnières mènent un tapage d'enfer en sentant monter l'eau.

Ne parvenant toujours pas à ouvrir, Pataro décide de monter sa caisse. Il passe la bretelle sur son épaule et tire, mais le fleuve doit à présent atteindre le haut de la rampe. L'eau arrive par vagues. Il glisse. Tombe et s'assomme à moitié quand son menton porte sur une pierre. La caisse qui lui échappe redescend et va cogner contre le mur du fond. L'infirme se précipite. Il saigne de la bouche et des bras. Le choc a presque libéré la porte en cognant encore de l'autre bout, il devrait pouvoir l'ouvrir. Il n'a aucun outil. Alors, insensible à la douleur, il frappe avec ses mains mutilées.

Il frappe, frappe de toutes ses forces et le sang qui jaillit marque les planches d'un beau rouge.

Enfin, la porte cède. Elle s'ouvre. Pataro recule. Les moineaux et les pigeons sortent d'un coup et trouvent tout de suite le chemin du soupirail par où ils s'envolent dans la lumière.

Les deux grosses chattes se perchent sur la caisse. Les rats grimpent sur les épaules de Pataro :

— Allez, dehors ! Dehors !

L'infirme pousse tout son petit monde vers le soupirail. Les chattes sautent. Les rats filent aussi.

— Vous, je me fais pas de souci pour vous.

Dans la cage solitaire, Fluet continue de miauler. Lui aussi commence à être mouillé, mais Pataro n'a aucun mal à le libérer. Il file d'un long saut très souple. Tout le monde est dehors. L'infirme se retourne. De l'eau à la poitrine, il progresse tant bien que mal vers la rampe où il s'engage. Il s'accroche aux pierres comme il peut, mais, à présent, c'est à gros bouillons que l'eau arrive. Le fleuve a trouvé l'entrée, il s'y rue de toute sa violence. Dix fois Pataro essaie de monter, dix fois il est repoussé. Il hurle :

— A l'aide ! Au secours ! Me laissez pas crever !

Sa voix porte à peine jusqu'à la ruelle.

De l'eau au cou, il va se réfugier sur sa planche où il n'en a plus que jusqu'à la taille. Il regarde vers le soupirail. Un miaulement lui parvient. La grosse grise passe la tête et le fixe de son regard d'émeraude.

— Va-t'en ! Va-t'en, ma belle !

Sa voix s'étrangle. Il murmure encore :

— Mes bêtes... mes bêtes.

L'eau monte de plus en plus vite et, bientôt, elle se met à entrer aussi par le soupirail. Pataro tente encore de se hausser. Ses pinces s'accrochent aux saillies des pierres. Elles ne sont plus que deux plaies sanglantes.

— Au secours !

Sa voix ne va pas plus loin que ses lèvres. Dans un souffle, il dit encore :

— J' vais pas crever là, tout de même !

Le fleuve n'a pas fini sa crue. Envahissant tout le quartier, il se coule partout où il peut trouver passage et sa grande force musculeuse commence à soulever les masures qu'il détruit. Du fond de sa cave, l'infirme perçoit des bruits d'écroulement.

A présent, de l'eau au menton, il essaie de nager mais son corps n'est pas fait pour ça. Il flotte, veut reprendre pied mais ne trouve plus l'appui de sa planche. Il barbote des deux bras. Pousse un dernier gémissement que le flot étouffe, et son crâne luisant disparaît au moment où le niveau va atteindre le soupirail.

45

La pluie a cessé. Le soleil perce les nuées qui se festonnent d'or fin. Un pan de ciel bleu grandit assez vite.

La lumière qui cherche la ville découvre déjà l'immense plaine de l'est. Seuls sortent de l'eau les peupliers et quelques saules-têtards où des lapins et des lièvres ont trouvé refuge. Elle progresse vers l'ouest et éclaire d'abord l'énorme masse de la prison, seule à marquer encore l'emplacement de la rive gauche.

Des chats et des rats sont sur la terrasse du haut, entre les créneaux.

Où s'élevaient les masures que le fleuve a détruites, flottent des poutres et des planches retenues là par d'amples tourbillons. Des pigeons et des moineaux s'obstinent à voler sur place comme s'ils cherchaient quelque chose. De temps en temps, l'un d'eux va se percher sur une épave. D'autres vont rejoindre les chats et les rats au sommet de la prison.

La lumière traverse le fleuve et aborde la ville.

Elle découvre les rues où des gens en barque circulent d'une maison à l'autre. Des hommes pataugent dans des cours et montent des meubles vers les étages. D'autres placent entre des maisons des tréteaux qu'ils lestent de grosses pierres avant d'y poser des planches.

Sur la colline des Prières, tous les prêtres chantent des cantiques pour implorer la clémence du ciel.

Sur la colline du Labeur, des femmes de canuts s'affairent devant leurs petits fourneaux où cuisent des soupes et des platées de pommes de terre qu'elles serviront aux femmes et aux enfants de riches marchands réfugiés chez elles. Il a fallu la colère du fleuve pour que les gens du bas montent jusqu'ici et entrent dans ces maisons qui sentent la sueur, la peine et la pauvreté.

Les miséreux qui ont fui la rive gauche ont aussi leur place chez les tisserands.

Les eaux ont envahi le parc du château et leur rage s'est exercée surtout contre ces étranges constructions montées très haut sur pattes. L'une d'elles s'est écroulée, entraînant dans sa chute une bonne partie des autres. Seule la tour la plus ancienne, vieille bâtisse de pierre sombre, demeure ferme sur sa base de roche. Le courant se brise en grognant sur son étrave, il écume, mais sa fureur reste vaine. Il s'en va, emportant vers l'aval sa moisson de paille et de bois.

Bien des arbres du parc ont été arrachés. Les

grilles se sont couchées. Elles n'émergent plus que de loin en loin comme pour rappeler qu'ici a vécu la toute-puissance des princes.

La grande avenue qui conduit à la place de l'Hôtel-de-Ville est une rivière parallèle au fleuve. Elle a emporté un grand panier d'osier où se trouvent un corps et une tête d'homme.

Sur la place de l'Hôtel-de-Ville, la fontaine est toujours debout. Un vol de choucas tourne autour. D'autres oiseaux noirs sont perchés sur une traverse de bois soutenue par deux fortes poutres. C'est tout ce qui se dresse encore de la guillotine. Le couteau triangulaire coincé en bas entre les deux montants a été lavé de son sang. Il est caché par le flot couleur de terre.

Sur cette ville qui n'est que miroitement, un grand soleil darde. Il commence à sécher les toitures et les hautes façades. Un peu de vapeur bleue stagne dans les recoins d'ombre. Le vent est presque tombé. C'est tout juste s'il parvient encore à brouiller les reflets.

ÉPILOGUE

LES jours ont passé. Le fleuve a regagné son lit.

Les semaines ont passé. La ville riche nettoyée a repris sa vie.

De retour dans ce qui reste de son château, le prince a fait venir des architectes des plus grandes capitales. Tous lui ont soumis des plans qu'il examine. Il les montre à ses ministres et à ses invités.

Sur la colline des Prières, les offices religieux sont de nouveau célébrés selon leur cours normal. On dit seulement, chaque dimanche, des messes pour le repos de l'âme des victimes de la révolte. On prie également pour que le fleuve se tienne tranquille. Bien des prêtres en profitent pour enseigner aux enfants que la mauvaise humeur des hommes provoque souvent celle du ciel.

Sur la colline du Labeur, les métiers à tisser se sont remis à claquer. Tard dans les nuits, on entend leur triste musique dévaler les escaliers des ruelles et des traboules jusque sous les arcades du théâtre dont l'orchestre joue pour les riches.

En aval et en amont de la prison, les miséreux ont reconstruit des cabanes avec ce que le fleuve a laissé sur la rive en se retirant. Dans sa colère, il a emporté ce qui restait des piles de l'ancien pont. En aval, il arrive qu'un pêcheur ramène dans ses filets quelques pièces de monnaie.

Parce que les événements puis la crue du fleuve ont coûté très cher aux habitants du quartier riche, on a fait comprendre aux canuts qu'il faudrait attendre avant de réclamer une augmentation sur le prix des façons.

Et les canuts taciturnes se sont résignés.

A présent, des années ont passé. Les vieux sont morts. Les jeunes ont pris leur place. Les uns à la cour, les autres dans les boutiques et les bureaux des marchands, d'autres encore devant les bistanclaques.

Sur ceux-là, la fatigue pèse. Les nuits et les dimanches sont bien courts. Et c'est à peine si, de temps à autre, au cours d'un repas, il arrive que quelqu'un soupire encore :

— Tout de même, les vieux ne demandaient pas la lune. Deux sous. Deux sous de plus sur les façons. Non, c'était pas la lune, mais on les verra sans doute jamais.

Disant ces mots, les tisseurs regardent la soie rutilante, chamarrée d'or, qui coule des métiers.

Pour certaines pièces au dessin particulièrement compliqué, on sait qu'il ne faut pas compter tisser plus de trois pouces par jour. Et encore, en commençant bien avant l'aube et en poussant les journées fort tard au cœur des nuits.

Ausedonia, mai 88 — Eygalières, 90 — Tramonet, décembre 91.

TABLE

OUVRAGES
DE
BERNARD CLAVEL

Romans

Édit. Robert Laffont :
L'Ouvrier de la nuit.
Pirates du Rhône.
Qui m'emporte.
L'Espagnol.
Malataverne.
Le Voyage du père.
L'Hercule sur la place.
Le Tambour du bief.
Le Seigneur du fleuve.
Le Silence des armes.
La Grande Patience :
1. La Maison des autres;
2. Celui qui voulait voir la mer;
3. Le Cœur des vivants;
4. Les Fruits de l'hiver.
Les Colonnes du ciel :
1. La Saison des loups;
2. La Lumière du lac;
3. La Femme de guerre;
4. Marie Bon Pain;
5. Compagnons du Nouveau-Monde.
Édit. J'ai Lu : Tiennot.
Édit. Albin Michel :
Le Royaume du Nord :
1. Harricana;
2. L'Or de la terre;
3. Miséréré;
4. Amarok;

5. L'Angélus du soir;
6. Maudits Sauvages.
Quand j'étais capitaine.
Meurtre sur le Grandvaux.
La Révolte à deux sous.

Nouvelles

Édit. Robert Laffont : L'Espion aux yeux verts.
Édit. André Balland : L'Iroquoise.
La Bourrelle.
L'Homme du Labrador.

Divers

Édit. du Sud-Est : Paul Gauguin.
Édit. Norman C.L.D. : Célébration du bois.
Édit. Bordas : Léonard de Vinci.
Édit. Robert Laffont : Le Massacre des innocents.
Lettre à un képi blanc.
Édit. Stock : Écrit sur la neige.
Édit. du Chêne : Fleur de sel (photos Paul Morin).
Édit. universitaires Delarge : Terres de mémoire (avec un portrait par G. Renoy, photos J.-M. Curien).
Édit. Berger-Levrault : Arbres (photos J.-M. Curien).
Édit. J'ai Lu : Bernard Clavel, qui êtes-vous? (en coll. avec Adeline Rivard).
Édit. Robert Laffont : Victoire au Mans.
Édit. H.-R. Dufour : Bonlieu (dessins J.-F. Reymond).
Édit. Duculot : L'Ami Pierre (photos J.-Ph. Jourdin).
Édit. Actes Sud : Je te cherche, vieux Rhône.
Édit. Albin Michel : Le Royaume du Nord (photos J.-M. Chourgnoz).
Édit. Hifach : Contes du Léman (illustrations J.-P. Rémon).

Pour enfants

Édit. La Farandole : L'Arbre qui chante.
A Kénogami.
L'Autobus des écoliers.
Le Rallye du Désert.
Édit. Casterman : La Maison du canard bleu.
Le Chien des Laurentides.
Édit. Hachette : Légendes des lacs et rivières.
Légendes de la mer.
Légendes des montagnes et forêts.
Édit. Robert Laffont : Le Voyage de la boule de neige.
Édit. Delarge : Félicien le fantôme (en coll. avec Josette Pratte).
Édit. École des Loisirs : Poèmes et comptines.
Édit. de l'École : Rouge Pomme.
Édit. Clancier-Guénaud : Le Hibou qui avait avalé la lune.
Édit. Rouge et Or : Odile et le vent du large.
Édit. Flammarion : Le Mouton noir et le loup blanc.
L'Oie qui avait perdu le Nord.
Au cochon qui danse.
Édit. Albin Michel : Le Roi des poissons.
Édit. Nathan : Le Grand Voyage de Quick Beaver.
Les Portraits de Guillaume.
Édit. Claude Lefranc : La Saison des loups (bande dessinée par Malik).

La plupart des ouvrages de Bernard Clavel ont été repris par des clubs et en format de poche.

La composition de ce livre
a été effectuée par Bussière à Saint-Amand,
l'impression et le brochage ont été effectués
sur presse CAMERON
dans les ateliers de la S.E.P.C.
à Saint-Amand (Cher)
pour les Éditions Albin Michel

Achevé d'imprimer en février 1992.
N° d'édition : 12140. N° d'impression : 119-273.
Dépôt légal : mars 1992.